LA EMPATÍA

La Guía para Desarrollar el Poderoso Don de la Empatía, sus Sentidos y su Yo Interior, Evadir las Relaciones Tóxicas y Lograr una Completa Renovación Emocional, Física y Espiritual

By

Tina Madison

Tabla de contenido

La información en las siguientes páginas se considera en términos generales como una cuenta veraz y precisa de los hechos y, como tal, cualquier falta de atención, uso o mal uso de la información en cuestión por parte del lector rendirá cualquier acción resultante únicamente bajo su alcance. No hay escenarios en los que el editor o el autor original de este trabajo pueda ser considerado responsable de las dificultades o daños que puedan surgir después de comprometerse con la información aquí descrita.

Además, la información en las páginas siguientes está destinada solo para fines informativos y, por lo tanto, debe considerarse universal. Como corresponde a su naturaleza, se presenta sin garantía de su validez prolongada o calidad provisional. Las marcas comerciales que se mencionan se realizan sin consentimiento por escrito y de ninguna manera pueden considerarse un respaldo del titular de la marca.

Introducción

Felicitaciones por descargar este libro. Los siguientes capítulos discutirán los muchos aspectos de ser un empático y lo que realmente significa vivir como uno. Los empáticos son criaturas especiales. Son el tipo de personas que siempre estarán ahí para ti, pero también es una persona que puede ser fácilmente lastimada. Tienen que ser muy cuidadosos con el tipo de personas con las que salen.

Antes de que puedas comprender y apreciar completamente tu regalo, primero debes entender qué es. La empatía no es tan simple como sentir lo que otra persona siente, va más allá de la definición básica. Pero siempre causa estragos en la psique y el cuerpo de una persona. Esto es algo con lo que un empático tiene que vivir.

Si bien puede sonar como algo que no querrías experimentar, es realmente un regalo especial. Con el conocimiento y la práctica adecuados, un empático puede llevar una vida perfectamente normal.

Este libro está aquí para enseñarte las mejores maneras de ser empático para asegurarte de que te mantengas feliz y saludable.

Hay un montón de trabajo activo que debe ser puesto en perfeccionar y aceptar tu regalo, pero vale la pena a largo plazo. Lo importante es protegerte de esos vampiros que absorben energía, de los que aprenderás más adelante en el libro.

No perdamos más tiempo. Vamos a sumergirnos de lleno en lo que significa ser realmente un empático.

Hay muchos libros sobre este tema en el mercado, ¡gracias de nuevo por elegir este! Se hicieron todos los esfuerzos para garantizar que esté lleno de la mayor cantidad de información útil posible, y por favor, disfrutelo!.

Primera parte: Entender a el empático sensible.

¿Qué significa ser un empático?

La empatía se define como tener la capacidad de comprender y leer a las personas y resonar o estar en sintonía con los demás. Esto puede a veces ser voluntario o puede ser involuntario. Lo último es cierto para aquellos que son empáticos naturales.

Los empáticos son personas que son hipersensibles y que experimentan niveles muy altos de comprensión, consideración y compasión hacia los demás. Su extrema empatía crea algo así como un efecto de diapasón, donde pueden sentir las emociones de quienes están a su alrededor. La mayoría de los empáticos tienden a ignorar cómo funciona todo esto. Probablemente aceptaron el hecho de que solo son sensibles hacia otras personas.

Ya sea que lo sepan o no, los empáticos comparten muchos rasgos con otros empáticos.

Como empático, te afecta la energía de otras personas y tienes una habilidad innata para percibir y sentir intuitivamente a quienes te rodean. Inconscientemente, estás influenciado por los estados de ánimo, pensamientos, deseos y deseos de otras personas. Ser un empático es mucho más que ser altamente sensible, y no se limita solo a las emociones.

Los empáticos son capaces de percibir impulsos espirituales y sensibilidades físicas, así como comprender las intenciones y motivaciones de los demás. Una persona es un empático o no. No es algo que se pueda aprender. Estás abierto, por así decirlo, a procesar la energía y los sentimientos de los demás, lo que significa que puedes sentir realmente y, en la mayoría de los casos, asumir las emociones de otras personas.

Muchos empáticos experimentarán cosas como dolores y dolores inexplicables, sensibilidades ambientales o fatiga crónica todos los días. Es más probable que todos estos factores se atribuyan a influencias externas y que no tengan mucho que ver con uno mismo. Básicamente, estás caminando con un montón de energía acumulada, karma y emociones de otras personas.

Los empáticos tienden a ser tranquilos. Les cuesta mucho manejar los cumplidos porque están más inclinados a señalar los logros de otras personas. Son muy expresivos en diferentes áreas de conexiones emocionales, y hablan abiertamente, y algunas veces con franqueza. No tienen problemas para hablar de sus sentimientos mientras alguien más quiera escuchar.

Sin embargo, pueden ser lo contrario: No responden y son solitarios en el mejor de los casos. A veces incluso pueden parecer ignorantes. Algunos se han vuelto buenos para bloquear a las personas y eso no es necesariamente algo malo, al menos para el empático que está aprendiendo y luchando con las hordas de emociones de los demás y sus propios sentimientos.

Los empáticos normalmente están abiertos a sentir lo que está fuera de ellos más que sus propios sentimientos. Esto significa que los empáticos tienen una tendencia a ignorar sus necesidades. Los empáticos son típicamente no agresivos, no violentos, y normalmente son pacificadores. Las áreas que están llenas de desarmonía tienden a hacer que los empáticos se sientan incómodos. Cuando se encuentran en medio de una confrontación, los empáticos trabajarán para resolver la situación tan pronto como puedan, si no se mantienen alejados de todos ellos juntos. Si dicen algo duro mientras se defienden, normalmente resienten su falta de autocontrol.

Los empáticos a menudo captan los sentimientos de otras personas y los proyectan de nuevo sin saber de dónde vienen. Hablar de las cosas es algo importante en un empático de aprendizaje para que puedan liberar emociones. Los empáticos pueden desarrollar un mayor grado de comprensión para que puedan descubrir la paz en cualquier situación.

Los empáticos también son sensibles a las transmisiones, noticias, películas, videos y TV. Los dramas emocionales o violentos que representan escenas impactantes de dolor infligido a animales, niños o adultos pueden hacerlos llorar.

Los empáticos a menudo se encontrarán trabajando con la naturaleza, los animales o las personas con una pasión para ayudarlos. Normalmente son cuidadores y maestros incansables para nuestro entorno y todo lo que hay en él.

A menudo son narradores increíbles debido a su conocimiento en constante expansión, sus mentes inquisitivas y su imaginación infinita. Son muy amables y viejos románticos de corazón. También son a menudo los "guardianes de la historia familiar y el conocimiento ancestral". Si no son los obvios historiadores de familia, probablemente sean los que escuchan las historias que se han transmitido y poseen la mayor parte de la historia.

A menudo tienen un amplio interés en la música para adaptarse a todos sus temperamentos, y las personas cercanas a ellos pueden preguntarse cómo pueden escuchar un tipo de música y, minutos después, cambian a algo diferente. Las letras de una canción pueden tener efectos poderosos sobre los empáticos, especialmente si son relevantes para algo que están experimentando.

Rasgos comunes.

1. Altamente sensible.

Los empáticos son buenos oyentes, espiritualmente abiertos y naturalmente dadores. Si necesitas corazón, los empáticos lo tienen. A través de gruesos y delgados, estos nutridores naturales te ayudarán. Pero sus sentimientos pueden ser fácilmente heridos. A los empáticos se les dice que se "endurezcan" o que son "demasiado sensibles".

2. Absorben Emociones.

Están muy en sintonía con los estados de ánimo de los demás, malos y buenos. Lo sentirán todo, a veces en los extremos. Asumirán la negatividad como la ansiedad y la ira, que pueden agotarlos. Si alrededor del amor y la paz, sus cuerpos florecerán.

3. Muchos son introvertidos.

Las multitudes tienden a abrumar a los empáticos, lo que amplifica su empatía. Prefieren el contacto personal con personas o grupos pequeños. Incluso cuando los empáticos son más extrovertidos, todavía les gusta limitar cuánto tiempo se gasta en una fiesta o en una multitud.

4. Altamente intuitivo

Los empáticos experimentan el mundo con su intuición. Tienen que desarrollar esta habilidad para que puedan aprender a escuchar sus sentimientos viscerales sobre los demás. Esto les ayudará a encontrar relaciones positivas y evitar personas negativas.

5. Necesita tiempo sólo

Dado que son super-respondedores, los empáticos encuentran que es agotador estar cerca de las personas, por lo que a menudo solo tienen que tener tiempo para recargarse. Solo un breve escape evitará una sobrecarga emocional. Por ejemplo: Los empáticos prefieren tomar sus propios autos cuando van a lugares para irse cuando quieren.

6. Las relaciones íntimas pueden llegar a ser abrumadoras

Estar juntos demasiado puede ser difícil para un empático, por lo que pueden alejarse de las relaciones íntimas. En el fondo temen perder su identidad. Para que los empáticos se sientan cómodos en su relación, su paradigma normal debe ser redefinido.

7. Vampiro de energía.

Su sensibilidad los convierte en marcas fáciles para los vampiros de energía. Estas personas pueden hacer más daño que solo drenar la energía física del empático. Los narcisistas son especialmente peligrosos y pueden hacer que su víctima se sienta desagradable e indigna.

8. La naturaleza llena los empáticos.

La vida cotidiana puede ser mucho para los empáticos. La naturaleza ayuda a restaurarlos y nutrirlos. Les da una forma de liberar sus cargas y pueden refugiarse en la presencia del océano, otros cuerpos de agua y cosas verdes y silvestres.

9. Sentidos Afinados.

Un empático puede encontrar que sus nervios se deshilachan fácilmente por hablar en exceso, los olores o el ruido.

10. A veces dar demasiado.

Los empáticos tienen corazones grandes y tratan de aliviar el dolor de otras personas. Es natural querer llegar a las personas necesitadas y aliviar su sufrimiento, pero los empáticos no se detendrán con eso. En su lugar, asumirán sus problemas y se sentirán molestos y agotados.

11. Sólo saben.

Los empáticos saben cosas sin tener que decírselo. Este es un conocimiento que es mucho más que un presentimiento o intuición; aunque esa es la forma en que la mayoría describe sus conocimientos.

12. Pueden leer la honestidad.

Cuando un amigo o un ser querido les miente, ellos lo saben. La mayoría de los empáticos intentarán no enfocarse en este hecho porque les duele saber que un ser querido les está mintiendo.

13. Problemas de espalda baja y trastornos digestivos.

El chakra del plexo solar se encuentra en el centro del abdómen y es el asiento de las emociones. Esta es el área donde un empático sentirá la emoción de otra persona, lo que debilita esta área y puede llevar a cualquier cosa, desde SII hasta úlceras estomacales. Los problemas de la espalda baja pueden suceder cuando no están conectados a tierra, junto con otras cosas, y una persona que no tiene idea de que es un empático casi siempre estará sin conexión a tierra.

14. Personalidad adictiva.

Los empáticos a menudo recurren al sexo, las drogas o el alcohol, solo por nombrar algunos, para bloquear las emociones. Esta es una forma de autoprotección para que puedan esconderse de algo o de alguien.

15. Dibujados a cosas holísticas y metafísicas.

Aunque a la mayoría de los empáticos les encanta curar a las personas, tienden a dejar de ser curanderos una vez que han sido calificados porque terminan adquiriendo demasiadas emociones de sus pacientes, especialmente si no saben que son empáticos. Los empáticos están abiertos a cosas que otras personas considerarían impensables y no se sorprenden ni sorprenden fácilmente.

16. Distraido facilmente.

La vida en el hogar, el trabajo y la escuela deben mantenerlos interesados, de lo contrario, se apagarán y terminarán haciendo garabatos o soñando despiertos.

Tipos de empatías

La mayoría de las personas no se dan cuenta de que hay diferentes tipos de empáticos. Si eres un empático, es importante que entiendas cuál eres para poder aprovechar al máximo tu don y cuidarte.

1. Empatia emocional.

Este es el tipo de empatía más común. Este tipo de empatía capta fácilmente las emociones de las personas que las rodean y sienten los efectos de esas emociones como si fueran de ellos. Experimentan profundamente los sentimientos de otras personas en su propio cuerpo. Por ejemplo: Los empáticos emocionales pueden volverse extremadamente tristes alrededor de una persona que está experimentando tristeza.

Es importante para un empático emocional diferenciar entre sus emociones y las emociones de quienes los rodean. Cuando hacen esto, pueden ayudar a otras personas sin agotarse.

2. Empatía cmpath fisico o médico.

Estos tipos de empáticos pueden captar la energía corporal de las personas que los rodean. Son intuitivamente capaces de decir lo que le pasa a otro. La mayoría de las personas con este tipo de empatía se convertirán en curanderas, ya sea en el sentido convencional o en alternativas. Podían sentir conciencia en su cuerpo cuando tratan a otro. También pueden notar bloqueos en la energía de una persona que necesita ser tratada.

Un médico empático detectará los síntomas de otras personas y sentirá esos síntomas en su cuerpo. Cuando asumen los síntomas físicos de otras personas, pueden terminar en problemas de salud. Las personas que tienen enfermedades crónicas como una enfermedad autoinmune o fibromialgia pueden encontrar útil fortalecer su campo de energía para que puedan desactivar sus habilidades cuando sea necesario. Entrenarte en una forma de curación puede ayudarte a perfeccionar esta habilidad.

3. Empatía geomántico.

Esta forma de empatía a veces se llama ambiente o empatía del lugar. Estos empáticos tienen una buena sintonía con el paisaje físico. Si notas que te sientes incómodo o extremadamente feliz en diferentes tipos de entornos o situaciones, sin ninguna razón, podrías ser este tipo de empático.

Este tipo de empático sentirá una conexión profunda con diferentes lugares. Pueden ser atraídos a iglesias, arboledas, piedras sagradas u otras áreas de poder sagrado. También pueden ser sensibles a la historia de un lugar y captar la alegría, la tristeza o el miedo que pueden haber ocurrido en esa área. Están extremadamente en sintonía con el mundo natural y se lastiman cuando se dañan.

Este empático tendrá que pasar tiempo en la naturaleza para recargarse. También puede encontrar curativo para ayudar en un proyecto ambiental. También es importante que cree un entorno armonioso y hermoso para su vida cotidiana. Probablemente se sentirá más feliz cuando su casa esté llena de aromas naturales y plantas. Probablemente querrás elegir materiales naturales como lino y madera.

4. Planta empática.

Los empáticos de las plantas son capaces de percibir intuitivamente lo que necesita una planta. Tienen un pulgar verde y están verdaderamente dotados para colocar las plantas correctas en las áreas correctas de su casa o jardín. Muchos de estos empáticos trabajarán en paisajes, jardines o parques silvestres cuando puedan usar su regalo para siempre. De hecho, si estás en una ocupación que involucra plantas, entonces hay una buena probabilidad de que seas una empática de plantas. Muchas de estas personas recibirán orientación de las plantas o los árboles directamente al escuchar lo que hay en la mente.

Si usted es un empático de las plantas, ya sabe que necesita mucho contacto con las plantas y los árboles. Puedes fortalecer este vínculo sentándote tranquilamente junto a una planta o árbol especial y convirtiéndote en él para encontrar lo que necesita.

5. Animal Empático.

La mayoría de los empáticos tienen una fuerte conexión con los animales, pero un animal empático dedicará sus vidas al cuidado de nuestros peludos amigos. Aquellos con este don particular sabrán exactamente lo que necesita un animal y algunos podrán comunicarse con ellos.

Si eres un animal empático, ya pasas mucho tiempo con los animales. Podría descubrir que estudiar psicología y biología de los animales puede ayudarlo con su don. Incluso puedes considerar el entrenamiento como un sanador de animales porque tu talento podría ayudarte a descubrir qué es lo que está mal con ellos.

6. Reconocimiento Claro o Empatía Intuitiva.

Este tipo de empatía recogerá la información de otros, sólo por estar cerca de ellos. Una mirada les dará todo tipo de ideas. Sabrás cuando otras personas mienten porque puedes sentir sus intenciones. Aquellos que tienen este don resonarán con otros campos energéticos y leerán energías.

Las personas con esta capacidad deben rodearse de personas con las que esté alineado. Puede que necesites fortalecer tu propio campo energético. Esto asegurará que no estés bombardeado con emociones y pensamientos de los demás.

¿Eres un empático?.

Probablemente te estés preguntando si hay una manera de saber con certeza si eres un empático o no. Depende de usted entenderse a sí mismo y determinar si usted es uno o no, pero le daré una prueba que podría ayudarlo a decidir si usted es uno o no.

Lo más probable es que, si alguna vez sintió el dolor de otra persona o sintió un cambio de energía en la habitación sin conocer la causa, es muy probable que sea un empático. Veamos cuántos de los siguientes rasgos resuenan con usted.

Para cada declaración, dale un "3" para siempre, "2" para a veces, "1" para raramente y "0" para nunca.

1. Puedes sentir la tristeza y el dolor de los demás.
2. Sabes inmediatamente cuando alguien dice una cosa pero significa otra cosa.
3. Empiezas a sentirte agotado cuando estás rodeado de ciertas personas.
4. Tienes fuertes primeras impresiones negativas y positivas de personas que terminan siendo correctas.
5. Eres testigo de algo triste, como un animal que es atropellado por un automóvil, y te toma mucho tiempo dejar de sentirte enfermo o triste.

6. Otras personas no entienden qué tan profundamente te sientes y por qué no puedes "dejarlo ir".

7. Sientes como si vieras la vida desde una perspectiva diferente a la de todos los que te rodean. Te sientes como si nadie fuera "como tú".

8. Te has sentido como si estuvieras sintiendo todo el peso del mundo sobre tus hombros desnudos.

9. Ha habido ocasiones en las que estás tan abrumado por el dolor del mundo que preferirías simplemente arrastrarte debajo de las sábanas y no interactuar con otros durante unos días.

10. No puedes leer ni ver las noticias o las películas violentas o tristes porque te resultan demasiado molestas o te hacen sentir mal.

11. Sientes repetidamente las mismas sensaciones o emociones alrededor de la misma persona. Por ejemplo: Cada vez que estás con un amigo en particular, te sientes triste o ansioso sin ninguna razón.

12. Te sientes dolorido o enfermo cuando estás con ciertas personas sin ninguna razón física, o sientes que asumes los sentimientos y síntomas de otra persona.

13. Sientes como si tus emociones o estados de ánimo cambian cuando ciertas personas entran a una habitación.

14. Entraste a un lugar y sentistes que la energía era diferente sin entender por qué. Por ejemplo: Entras en la oficina y te golpea una sensación de ira o tensión.

15. A menudo te sientes abrumado cuando hay mucha gente cerca, pero parece que no puedes entender por qué estás abrumado.

16. Sientes como si tus emociones cambiaran en un centavo, pero no estás seguro de por qué.

17. Las personas acuden a ti como su "fuente de energía" porque puedes iluminar su día o impactar sus emociones.

18. Las personas se sienten atraídas hacia ti y necesitan tu "arreglo" para sentirse mejor. A menudo, los niños y los animales también serán atraídos hacia ti.

19. Te gusta estar cerca del agua, especialmente si te sientes abrumado.

20. Tienes que caminar por la naturaleza para sentirte equilibrado.

21. La gente te ha preguntado por qué tienes "un corazón tan sangrante" o se burlan de tí porque sientes las cosas tan profundamente.

22. Tiendes a preocuparte por los demás más que por tí mismo y sientes que tienes que cuidar de todos los demás, incluso cuando te sientes agotado.

23. Te cuesta mucho cuidarte a tí mismo porque siempre cuidas a quienes te rodean.

24. Sabes o sientes que los animales y las plantas tienen alma o conciencia, y puedes sentir su tristeza y dolor.

25. Has pasado por momentos en tu vida en los que pasaste por algo tan traumático que estabas totalmente adormecido.

Tómate un momento para sumar tus puntuaciones

Si puntuó entre cero y 25:

Tienes rasgos de un empático, pero no eres considerado un empático. Es importante que te cuides y te asegures de no sentirte abrumado, pero es probable que ya tengas un buen equilibrio entre ayudar a los demás y establecer límites.

Si puntuó entre 25 y 50:

Esto demuestra que eres un empático. Sientes las cosas de manera diferente a la persona promedio. No solo te relacionas con los sentimientos de una persona, los percibes como tuyos. Probablemente te sientas agotado y te preguntes por qué sin saber que estás gastando demasiada energía y absorbiendo mucha negatividad. Si bien es probable que estés bastante equilibrado, no hay duda de que beneficiarás los recursos y las herramientas para ayudar con tu percepción extremadamente sensible.

Si puntuó entre 50 y 75:

En este rango, eres un empático extremo. Sumérgete en las emociones de los demás sin tener una idea de lo que estás haciendo. Eres capaz de sentir el ambiente de una habitación sin ninguna señal visual. Al obtener este puntaje, estás extremadamente abierto al sufrimiento y al dolor en el mundo, y probablemente te sientas abrumado por hacer demasiado. Si no trabajas en tus rasgos, entonces puedes terminar enfermándote mucho.

Visión científica en profundidad de la empatía

Muchas cosas en la vida pueden aparecer como mágicas hasta que somos capaces de descubrir cómo funcionan y entender el proceso involucrado. Desafortunadamente, el descubrimiento de empáticos todavía está en marcha. Sin embargo, ha habido investigaciones sobre las neuronas espejo y está arrojando algo de luz sobre una posible explicación de por qué los empáticos pueden experimentar las emociones de otras personas.

Se cree que las neuronas espejo son un mecanismo neurofisiológico involucrado en la forma en que entendemos las acciones de otras personas y aprendemos a imitarlas. Estos fueron los primeros estudios en el contexto de las habilidades motoras y encontraron que se encendieron cuando un mono vio a otra persona realizar una acción. Esto los llevó a la hipótesis de que ver a otra persona hacer algo provocaría una respuesta interna que nos ayuda a imitar e imitar las cosas que vemos. El hecho de ver a otra persona experimentar algo activa las neuronas en nuestro cerebro, incluso cuando no realizamos la acción personalmente.

Marco Lacoboni presenta las neuronas espejo que pueden tener la base fisiológica potencial para la moral y la empatía, ya que están involucradas en la forma en que interpretamos y percibimos las experiencias de quienes nos rodean. En la forma más simple, estas neuronas se activan mediante la observación de un gesto físico en otra persona que dispara las mismas neuronas en el observador. Lo sorprendente de esto es que sucede de manera constante, aunque la persona que mira no mueve nada. Funciona solo en una representación interna de la acción, no en una limitación física.

Por ejemplo: En un juego de béisbol, las neuronas que son activadas por el receptor cuando atrapa la pelota también se disparan en la audiencia. Este mismo proceso también funciona cuando observamos a alguien experimentar algún tipo de dolor físico o si notamos una expresión facial de preocupación o enojo. Nuestro cerebro es capaz de interpretar el significado de estas situaciones al experimentarlas internamente a través de sus propias neuronas espejo. Hay varias formas diferentes de desencadenar neuronas espejo: ver una pelota que se patea, escuchar el sonido que hace una pelota cuando se patea, o decir la palabra patada, puede hacer que las neuronas espejo se activen.

El patrón de disparo de las neuronas espejo es muy sofisticado. De hecho, el patrón depende del significado o contexto de la acción que se observa, como levantar la mano para agarrar una bola o levantar la mano cuando tiene una pregunta. Ambas acciones involucran los mismos músculos, pero no tienen la misma intención, por lo que desencadenan diferentes vías de neuronas espejo.

Esta es la razón por la que Lacoboni cree que el patrón de disparo de estas neuronas es lo suficientemente complejo como para permitir que las personas entiendan la intención de otra persona según el contexto de la acción. La presencia del proceso es importante cuando empiezas a pensar cómo la comprensión y la relación con otras personas es importante para nuestra capacidad de sobrevivir en la sociedad. Esto también es apoyado por diferentes cuerpos de investigación sobre el proceso conocido como contagio emocional.

Contagio emocional

Este es un proceso en el que un grupo o una sola persona influye en el comportamiento de otras personas o grupos a través de una inducción consciente o inconsciente de actitudes conductuales y estados emocionales. Este es un proceso que tiene profundas raíces en la psique humana. Se ha encontrado que los bebés recién nacidos imitarán instintivamente las expresiones faciales de otras personas a los pocos minutos de nacer.

Incluso los adultos tienden a imitar el comportamiento de otras personas, a menudo inconscientemente. Esta imitación causará emociones de uno a otro y juega un papel importante en nuestras relaciones sociales. De hecho, es más probable que a las personas les guste una persona que las imita. Se cree que la mímica nos hace sentir más conectados con los demás y nos brinda una experiencia emocional positiva.

Este contagio emocional proviene de la mímica básica mientras trabajamos para sentirnos amados y cercanos a quienes nos rodean. Desde el nacimiento, nos registramos espontáneamente e intentamos reproducir un lenguaje no verbal.

A pesar de que la ciencia se ha aventurado hasta aquí, la experiencia empática parece indicar que hay un proceso humano donde los humanos son capaces de sentir de manera innata las emociones de otras personas, de una manera que no está completamente controlada por su mente consciente. A los empáticos no les importaría poder apagar esto de vez en cuando para que puedan sentir sus propias emociones. Sin embargo, esta experiencia es típicamente incontrolable e inconsciente. Muchos empáticos han reportado sentirse abrumados por las emociones de otras personas sin tener la intención de experimentarlas.

Normalmente, cuando una persona quiere mejorar una habilidad, tomará una decisión consciente para hacerlo, y eso es seguido por algún tipo de programa de práctica y experiencia de aprendizaje.

Hay algunos que son naturalmente mejores en esto que otros, por lo que la práctica que necesitan puede ser más breve. Para un empático, la manifestación física ocurre primero. Empiezan a sentir lo que sienten los demás y ni siquiera saben qué está pasando. Es solo después de que esto sucede que comienzan a embarcarse en su búsqueda para entender lo que está sucediendo. El primer pensamiento de muchos empáticos es: "¿Cómo puedo detener esto?"

Ser un empático nunca se presenta como una habilidad aprendida, algo que un niño puede desear tener y luego desarrollar con la práctica. Típicamente, el desencadenante inicial tiende a ser fisiológico, lo que conduce a una experiencia emocional y luego a la conciencia consciente. Primero sentirán y entenderán su don después. Tienden a informar que tienen muy poco control del proceso. Esto significa que la empatía es una habilidad innata, pero no todos experimentan esto. Por el contrario, una porción muy pequeña de la población tiene esta capacidad. Todos tienen la capacidad de percibir las emociones de una persona; solo los empáticos tienen la sensibilidad inusual para sentir las señales emocionales.

Campos electromagnéticos

Este hallazgo se basa en el hecho de que el corazón y el cerebro generan un campo electromagnético. Según el Instituto HeartMath, estos campos envían información sobre las emociones y los pensamientos de una persona. Los empáticos son particularmente sensibles a esta entrada y normalmente son superados por ella.

Tendrán una respuesta física y emocional más fuerte a los cambios en los campos electromagnéticos del sol y la tierra. Los empáticos entienden que todo lo que suceda con el sol y la tierra tendrá un impacto en su energía y estado de ánimo.

Mayor sensibilidad de la dopamina

La dopamina es un neurotransmisor que aumenta la actividad de las neuronas y está conectada a la respuesta de placer. La investigación ha encontrado que los empáticos introvertidos suelen ser más sensibles a la dopamina que los extrovertidos. Esto significa que requieren menos dopamina para sentirse felices. Esto puede explicar por qué están más contentos con la meditación, la lectura y el tiempo solos, y necesitan menos estímulos externos de las reuniones sociales. Los extrovertidos necesitan que la dopamina se apresure a partir de esos eventos bulliciosos de los que parece que no pueden tener suficiente.

Sinestesia

La sinestesia es una condición neurológica donde dos sentidos se emparejan en el cerebro. Por ejemplo: Una persona puede ver cuando escucha una determinada pieza de música, o puede probar palabras. Algunas personas famosas con sinestesia son el violinista Itzhak Perlman, Billy Joel e Isaac Newton. Sin embargo, cuando se trata de la sinestesia de toque espejo, las personas pueden sentir las sensaciones y emociones de otras personas en su cuerpo como si fuera su dolor.

Vista psicologica

La psicología ha usado durante mucho tiempo el término empatía para definir la capacidad de una persona para imaginar lo que otra persona puede estar sintiendo, también conocida como "caminar en los zapatos de otra persona". La empatía juega un papel importante en nuestras interacciones sociales. La empatía puede afectar la forma en que actuamos hacia una persona. Funciona como el pegamento que mantiene unidos a los humanos.

Theodore Lipps ha sido considerado como el padre del término empatía. Lo describió como la forma en que percibimos el estado mental de quienes nos rodean a través de un proceso de imitación interna. El proceso involucra diferentes áreas del cerebro, como el sistema endocrino, el eje hipotálamo-hipófisis-suprarrenal, el sistema nervioso autónomo y la corteza.

Aunque las personas que tienen algunas psicopatologías, como los sociópatas, pueden mostrar una falta de empatía, esta habilidad tiene una base biológica sólida. Los bebés pueden reconocer diferentes tipos de emociones a una edad muy temprana y los niños pequeños pueden desarrollar empatía a medida que crecen. Los niños pequeños pueden identificar las emociones de otras personas e interpretarlas correctamente.

Estudios recientes han descrito dos sistemas diferentes que están involucrados en la empatía psicológica: Un contagio basado en la emoción y un sistema de toma de perspectiva cognitiva.

La empatía emocional parece activar lo que se conoce como el giro frontal inferior. La empatía cognitiva está más ligada al sistema neuronal espejo motor. El modelo de empatía de Rogers está más cerca de la empatía cognitiva que de la empatía emocional.

Los experimentos psicológicos que estudian la empatía a menudo utilizan la observación para desencadenar la respuesta empática de una persona. Harán que los empáticos vean a alguien que se encuentra en una situación en la que se supone que provoca emociones fuertes.

Rogers dice que la empatía implica una condición "como si". Una persona puede experimentar empatía cuando puede imaginar lo que siente otra persona. Esto es diferente de lo que los empáticos experimentan. Los empáticos sienten las cosas como propias. No es algo imaginado o proveniente de estímulos externos.

¿Qué es energía?

La energía, o energía universal, es la base de la existencia humana. La electricidad que alimenta tu hogar, el gas, los combustibles de tu automóvil, el sol que calienta tu cuerpo, son todas formas de dicha energía.

La energía universal sostiene la vida y aporta energía importante a los sistemas vivos. El universo entero; comenzando con las estrellas en el cielo nocturno hasta los pequeños átomos que las forman, incluido el mundo y los cuerpos humanos, y todo lo que hacemos o más está lleno de energía universal en el nivel más básico.

Si bien a menudo podemos ver el mundo y todo lo que hay en él como algo materialista o físico, la Física Cuántica cree que todo lo que existe es creado por esta energía que fluye constantemente y cambiará de forma.

Incluso los científicos galardonados con el Premio Nobel lo han demostrado, pero como estamos acostumbrados a vernos a nosotros mismos y las cosas que nos rodean como tangibles, puede ser difícil aceptar que las cosas sean solo energía.

Estos científicos han descubierto que nuestra "realidad" está formada por átomos, que son millones de pequeños vórtices de energía vibratoria y giratoria similar a los tornados. Ya sea que veamos cosas como un gas, líquido o sólido, todo depende de la velocidad de los átomos que se mueven.

Los seres humanos y la energía vibracional

Dado que todo lo que es energía viene con su propia vibración, que decide su naturaleza y las cosas que creó, como seres humanos tenemos nuestra propia vibración interna. El fenómeno físico de la vibración y la vibración espiritual que tenemos dentro de nosotros son cosas diferentes.

La mejor capacidad y poder que tiene el hombre es la capacidad de recibir y expresar pensamientos. Este pensamiento es una forma condensada de esta energía universal dirigida y creada por cierta entidad.

En un intento por definir un pensamiento, es importante explicar que puede ser y debe ser controlado por la persona que lo creó, pero muy pocas personas tienen éxito en hacer precisamente eso. Un pensamiento, por lo tanto, es una forma condensada de manifestación energética.

La energía que vibra en el extremo inferior del espectro se mueve lentamente y tiende a ser tangible y densa. La energía que vibra en el extremo superior se mueve rápidamente y es intangible y ligera. La forma humana tiende a tener longitudes de ondas lentas, en el esquema del universo. Dado que somos una frecuencia más baja, es por eso que nos vemos a nosotros mismos como seres tangibles y físicos.

Las personas sienten que están separadas de todo y de todos, porque su energía vibra a diferentes frecuencias de las cosas que existen a su alrededor. Sin embargo, intrínsecamente todos estamos conectados con todo lo que nos rodea porque nuestra energía se comunica e interbloquea, absorbe, conecta e interactúa con la otra energía.

Sensibilidad a la energía

Hay almas que son sensibles a la energía universal, haciéndolas más conscientes de la energía que las rodea. Por lo general, sienten la energía del entorno e incluso la energía de las personas con las que no están relacionadas.

A medida que la vibración del planeta continúa creciendo, más y más personas se están volviendo receptivas a esta energía universal que nos rodea a todos. Los siguientes signos te harán saber si eres un empático que es sensible a esta energía universal.

1) Puedes sentir los ciclos lunares

Cada mes del año, la luna completa un ciclo de movimiento de nuevo a completo. Las fases lunares representan diferentes emociones, y las almas sensibles tienden a estar extremadamente sincronizadas con estas fases lunares.

Mientras que en la luna llena, los empáticos a menudo sentirán un deseo y un llamado para liberar o terminar ciertas cosas en su vida; están esos empáticos a los que les resultará difícil entender esta conexión que tienen con la luna. A veces, esto hará que se sientan incómodos en ciertos momentos.

2) Sentir incomodidad en las zonas masificadas

Los empáticos a menudo se sentirán abrumados y agitados cuando estén en un espacio lleno de gente o en algunos lugares públicos. La razón de esto es porque sienten la energía de quienes los rodean.

Las personas altamente sensibles y los empáticos tienden a ser más consciente de su entorno, y esto incluye ciertas luces, olores y sonidos que pueden llegar a ser abrumadores. Esto les resulta difícil de resolver, por lo que tienen que aprender a desarrollar herramientas de protección.

3) Su intuición está en el punto

Los empáticos son extremadamente conscientes del ambiente y la energía de quienes los rodean, lo que hace que su intuición sea fuerte. Pueden entender las cosas antes de que realmente sucedan, o pueden sentir cuando una persona que les importa está pasando por un momento difícil.

4) Ellos buscan conexión espiritual

Las personas que son más sensibles a la energía universal tendrán un deseo más profundo de encontrar una conexión espiritual con un compañero, crear una familia espiritual o un hogar con el que puedan resonar profundamente en un nivel espiritual.

5) Sueños vívidos

Los empáticos tienden a tener sueños muy vívidos e intensos que están llenos de creatividad, que recordarán con gran detalle. Para estas personas, soñar se convierte en una oportunidad para viajar a otros lugares y dimensiones, experimentar el estado de no corporalidad y explorar diferentes niveles de realidad.

6) Desarrollo espiritual

Debido a su creatividad, empatía y el deseo de aprender acerca de las necesidades de su alma, los empáticos están listos para estar abiertos en cualquier momento para ver el mundo desde diferentes perspectivas. A menudo experimentarán un despertar espiritual a través de experiencias únicas como abrir su tercer ojo y acceder a su energía Kundalini.

7) Buscan continuamente el propósito

Para los empáticos, su vida no se trata solo de placeres simples, seguridad material, familia o trabajo. Sienten que la vida es algo mucho más profundo y profundo, y pasarán bastante tiempo reflexionando sobre lo que realmente significa.

El empáticos tratará de integrarse en el mundo es una manera positiva y coherente y tratará de hacer una contribución personal. Este enfoque puede terminar convirtiéndose en el significado de su vida, y pueden terminar sintiéndose decepcionados por las personas que no comparten su mismo punto de vista.

Una visión metafísica de la empatía

Empatía y chamanismo

Es posible que ya veas cómo se puede aplicar la empatía a las artes curativas del chamanismo. La palabra chamán es muy conocida. Se originó en los chamanes de Túnez y Andies, pero se ha convertido en un término general para aquellos que practican las formas medicinales del espíritu.

Los empáticos son naturalmente idóneos para ser sanadores. Las personas que son empáticos han usado sus habilidades para descubrir enfermedades físicas y mentales en las personas para ayudarlas en su proceso de curación.

Los empáticos son capaces de conectarse de manera única con un individuo. Cuando han trabajado con su habilidad, pueden sentir los problemas espirituales, los problemas mentales, los problemas físicos y las emociones de otros y no tomarlos como propios. Esto requerirá mucho trabajo por cuenta propia, meditación y práctica para llegar a donde puedan evitar sentir todo como propio.

Veamos la vida de un empático. A la edad de 15 años, las habilidades de esta joven como empático comenzaron a florecer. Descubrió que podía entender lo que una persona estaba diciendo, incluso cuando hablaban en otro idioma.

Podía sentir las emociones de las personas cercanas a ella, pero no entendía muy bien lo que estaba pasando. Ella sabía que su camino siempre había sido de curación, pero esto era nuevo y abrumador para el empático promedio. La gente comenzó a usarla para descargar sus problemas, y como era empática, actuaba como una esponja absorbiendo lo que estaban liberando.

Aquí es donde realmente entra la conexión con el chamanismo. Los empáticos son conducidos a su camino de sanación por el espíritu, y no todos son guiados de la misma manera. Es por eso que tantos caminos difieren. Según el chamanismo, el llamado del espíritu a ser un sanador es un camino largo, y tiene que comenzar por curarse a sí mismo antes de que puedan sanar a otros.

Esta llamada se puede recibir de varias maneras diferentes. Podría provenir de una situación de enfermedad crónica, que para nuestra joven empática es la forma en que se produjo su llamado. Por supuesto, en este punto, ella era mayor. Ella comenzó a aprender sobre el chamanismo a la edad de ocho años, su empatía llegó más tarde, pero su fuerte atracción por el espíritu llegó como adulto.

En un momento de su vida, ella se había desconectado. Esto fue en un momento de su vida en el que tenía un buen auto y un buen trabajo y casi gratis el alquiler en un apartamento increíble en una pequeña ciudad turística, y luego todo se fue a la mierda. De repente se quedó sin trabajo y sin hogar y tuvo que mudarse a la costa oeste de Canadá. Las cosas siguieron empeorando. Ella se enfermó, pero su médico no pudo averiguar qué estaba mal, así que ella dejó de intentar resolverlo.

Sus síntomas empeoraron al caer en una depresión. Se puso tan mal que apenas podía mover los brazos y se quedó en cama sin esforzarse demasiado. Ella fue así durante años. No podía trabajar y apenas podía llegar a las clases. Ella terminó un grado de dos años en tres años. Entonces, una noche ella iba a clase y casi fue atropellada por un auto. Ella tenía el derecho de paso, pero aún así, casi fue golpeada. Ella se derrumbó en la acera. Todo esto sucedió en las pocas semanas anteriores a Samhain (pronunciar sa-wee). Este es el momento en que el velo entre el mundo espiritual y nuestro mundo se adelgaza.

Esto es cuando ella comenzó a reconocer la llamada del espíritu. Comenzó a leer más y más sobre las enseñanzas chamánicas y comenzó a recordar las cosas que le habían enseñado de niña. Trabajó en sí misma y se sumergió en su viaje realizando recuperaciones de almas y ceremonias de curación en sí misma. A ella le habían diagnosticado fibromialgia, pero a medida que continuaba trabajando en sí misma, pronto quedó libre de drogas.

Si bien esto parece muy diferente de lo que has aprendido hasta ahora sobre los empáticos, así es como los chamanes ven el proceso. No significa que todos los empáticos tengan que pasar por este tipo de cosas, pero muchos probablemente lo harán y muchos lo harán.

Los empáticos que no aceptan lo que tienen, y tratan de ignorarlo, se enfermarán. Aquellos que lo aceptan y comienzan a buscar para aprender más sobre él y curarse a sí mismos, pueden vivir una vida satisfactoria.

Los chamanes y los empáticos están unidos de manera única. Con la habilidad de sentir empatía de sentir y sentir cosas en los demás y el uso de estas cosas por parte de un chamán para entender la salud de una persona para que pueda ayudar, la habilidad de un empático permite que un chamán encuentre la dirección correcta para un cliente.

La empatía en tus relaciones

Todos quieren encontrar un alma gemela, tener un amigo cercano y conectarse con su familia. Sin embargo, las personas empáticas luchan en esta área por razones únicas. El romance es especialmente difícil para el empático.

La persona empática tiende a tener dificultades para encontrar relaciones románticas. Es interesante cuando se sabe que dos empáticos que tienen cicatrices mentales se juntan, y luego les resulta muy difícil dejar de sentir los problemas y dolores ocultos del otro.

Podrían pasar horas discutiendo entre ellos sobre cómo saben que algo les pasa, solo para que el otro diga que sabía que su compañero estaba molesto con ellos.

El verdadero problema es este.

- Los empáticos pueden asustarte mucho.

Puede ser emocionante, especialmente si eres un empático, conocer a otro empático que podría ser una pareja romántica. Tu pensarías que expresarían sus sentimientos más rápido que los no empáticos. Y lo hacen porque conocen sus sentimientos, a diferencia de otros que hacen una segunda suposición. Eso significa que podrían pasar semanas en tu relación y podrían decir "Te amo". Nada puede cambiar la mente de la persona empática acerca de cómo se siente, y esto puede terminar arruinando las relaciones, a veces.

- El empático puede ponerse de mal humor.

Esto es difícil para las relaciones románticas, así como las amistades. Debido a sus fuertes emociones, las cosas a veces pueden salirse de control. Muchas veces, los sentimientos que corren a través de un cuerpo de empatía ni siquiera serán propios. El problema es que podrían haber absorbido demasiada energía de su ser querido. Esto podría terminar siendo dirigido al propietario de la emoción. Es injusto que se culpe al empático, pero así es como tiende a funcionar.

- La inconsistencia podría crear más luchas.

A los empáticos no les gusta cuando lo que dice una persona no coincide con lo que hacen, o lo que sienten, ya que un empático puede captar todo esto. Es difícil para ellos cuando tienen que decir tonterías sobre sus amigos, familiares y compañeros. Esto se vuelve extremadamente difícil cuando viven cerca de su ser querido. Un empático puede captar cada pequeña mancha en la superficie de la honestidad.

- Los empáticos son capaces de captar la complacencia.

Ya sabes cómo algunas relaciones pueden alcanzar una meseta, bueno; Los empáticos son capaces de sentir eso rápidamente. Todas las nuevas relaciones alcanzarán un punto en el que las cosas disminuyen y se asientan. No es necesariamente algo malo; solo significa que se ha nivelado. El empático notará esto y puede terminar en pánico. Pueden terminar convirtiéndose en un problema para volver a tener algo de intensidad en la relación. Tu compañero que no puede detectar esto encontrará extraña la empatía cuando en realidad es solo un regalo que ha salido mal.

- Los empáticos no pueden rendirse.

El empático no se divorciará, romperá o disolverá las relaciones románticas, en realidad cualquier relación, incluso si esta puede ser la mejor opción. Las personas empáticas siempre podrán ver el potencial en la otra persona porque sienten la frustración en la relación. La lucha ocurre cuando un empático está casado con una persona que no está en contacto con sus sentimientos y surge el divorcio. El empático querrá tratar de mantener las cosas juntas sin importar qué. Imagina que hay una persona que es más compatible para el empático, pero no lo sabrán porque seguirán intentando revivir lo perdido.

- A los empáticos les gusta su propio espacio, pero no les gusta estar solos.

Un encantador enigma, ¿no? Si bien puede parecer extraño, si lo analizas correctamente, tiene sentido. A los empáticos les encanta estar enamorados y les encanta pasar tiempo con su pareja romántica, pero cuando necesitan su espacio, tienen que obtenerlo. Se vuelven más emocionales cuando no pueden participar en su tiempo personal. Deben tener tiempo para recuperarse y energizarse.

- No se toman en serio.

Este es el mayor problema para cualquier relación que pueda tener un empático, romántico o no. Tendrán ideas que podrían parecer inverosímiles, pero si se les da el beneficio de la duda y el espacio, mostrarán cuánto significan sus propias palabras. Esto tiende a ser una lucha para la mayoría de las relaciones porque muchas personas dirán cosas y solo las harán el 40% del tiempo.

Las personas están acostumbradas a creer solo menos de la mitad de lo que dicen los demás, especialmente en las relaciones cercanas. La cosa es que un empático dirá que pueden hacer algo, y realmente pueden hacerlo, y lo harán. Por eso duele tanto que los demás no les crean.

Es importante que los miembros de la familia, amigos y parejas románticas empáticos se tomen en serio. Los empáticos son las personas más reales que existen, y es por eso que tienden a tener dificultades en las relaciones.

Sabotaje de relación

Como probablemente ya se haya dado cuenta, los empáticos son propensos a experimentar más problemas de relación que un no empático. También responden a estos problemas de maneras muy diferentes e inusuales, que no siempre son saludables. Las siguientes son diferentes maneras en que un empático puede sabotear sus relaciones:

1. Se comprometen los límites sin que se les pida.

Un empático a menudo sentirá las necesidades de su pareja de una manera tan profunda que deciden ceder a ellos de una manera que les haga daño. Podrían elegir negar un límite que su compañero no les pediría cruzar. Cuando toman esta decisión sin avisar a su pareja, el empático se abrirá al resentimiento y la ira. Su pareja terminará sin entender lo que pasó. Se vuelven confundidos y frustrados por eso.

2. Ellos dejarán de expresar sus propias necesidades.

Un empático puede centrarse tanto en hacer feliz a su pareja que terminan abandonándose a sí mismos. Un empático es extremadamente propenso a olvidar lo importante que es para ellos expresar sus necesidades y asegurarse de que se cumplan. Esto terminará haciendo que sucedan cosas que son similares al primer punto. El empático comenzará a sentirse desatendido, y su compañero no lo entenderá.

3. El abandono del autocuidado.

Nuevamente, debido a que están tan preocupados por el bienestar emocional de otros, se descuidarán. Cuando se enfocan demasiado en otra persona, a veces pueden descuidar las cosas que los hacen quienes son. Esto podría significar que pasan menos tiempo con sus amigos, menos energía para las cosas que les gusta hacer y menos enfoque en su trabajo que les parece significativo. Esto dañará su estima y felicidad.

4. Terminarán creando una relación padre-hijo.

Por naturaleza, los empáticos son nutridores. A menudo, intentarán satisfacer las necesidades de su pareja antes de que la haya expresado. Esto puede convertirse en una dinámica peligrosa porque se convierte en una relación unilateral. El empático acabará por resentirse de sus obligaciones. El socio también se resentirá porque perderá su autonomía.

5. Se resolverán problemas importantes en su cabeza.

Es muy común que un empático mantenga un diálogo continuo en su cabeza, y tomarán los dos lados de la discusión. El empático a menudo resolverá el problema en su cabeza y ni siquiera lo sacará a la luz. Esto podría deshacerse del problema, pero puede terminar creando uno nuevo. Es injusto para la pareja, que probablemente ni siquiera es consciente de que ha ocurrido un conflicto. Les roba la autonomía, su oportunidad de defenderse y la oportunidad de entender el punto de vista de los empáticos.

Asegúrate de que si eres empático no seas presa de tus propios dispositivos. Trata de encontrar estos comportamientos y lucha contra ellos para que puedas crear relaciones saludables.

Tratar con la empatía en el trabajo

Las investigaciones han demostrado que las personas en el lugar de trabajo pueden "atrapar" las emociones de los demás, lo que se conoce como contagio emocional. Esto significa que el pánico y la ansiedad de una persona pueden terminar propagándose como un virus en toda la oficina, lo que reduce la productividad y la moral. Lo contrario puede ser cierto, y la felicidad puede construirse en el lugar de trabajo, lo que se traduce en un mejor desempeño, satisfacción y cooperación.

El problema para los empáticos es que estos sentimientos son más fuertes. Estos sentimientos se amplifican en ellos. Lo bueno es que, sin embargo, los empáticos también pueden beneficiarse de toda la energía positiva que recorre la oficina. Lo difícil sucede cuando detectan enfermedades y emociones negativas.

Todos tendrán días difíciles. Desafortunadamente para los empáticos, un día difícil para un compañero de trabajo puede convertirse en un día difícil para ellos. La mayoría de las oficinas ahora están diseñadas para ser "espacio abierto". Esto significa que los escritorios no están separados entre sí por paredes, o están hechos de cubículos con particiones de vidrio. Esto significa que todos compartimos el mismo espacio. Tu eres capaz de escuchar todas las envolturas iniciales de caramelos, el crujir de las encías, los zumbidos, las risas, las narices, la tos, los chismes, las quejas y las conversaciones. También puedes oler sus perfumes o lo que comieron, y puedes ver a la gente moverse por la zona. Esto significa que hay una estimulación sensorial continua. Esta falta de privacidad hace que un empático sea más vulnerable al estrés de sus compañeros de trabajo.

Sin embargo, hay algunas soluciones creativas. Shopify encuestó a sus empleados y descubrió que tenían un equilibrio entre los extrovertidos y los introvertidos. Hicieron que los diseñadores de sus oficinas modificaran el lugar de trabajo para cada grupo. Algunas de las secciones fueron más interactivas y ruidosas.

Luego había otras oficinas que tenían sofás de respaldo alto que podían trasladarse a un rincón para tener privacidad, y creaban habitaciones específicas que parecían bibliotecas acogedoras para un trabajo tranquilo. Este nuevo diseño ofreció a los introvertidos más tranquilidad y espacio en el trabajo. Debido a este diseño, no estaban tan expuestos al estrés de sus compañeros de oficina.

Un empático también tiene que lidiar con las emociones de sus clientes y clientes, incluso cuando les habla por teléfono. Para resolver este problema, las siguientes son algunas formas de crear límites energéticos en el trabajo:

- Si trabajas en una oficina de espacio abierto o caótica, rodea las partes externas de tu escritorio con fotos de mascotas o familiares y plantas para crear una pequeña barrera psicológica. También puedes usar objetos sagrados o piedras protectoras para hacer un límite energético.

- También puedes tomar descansos para ir al baño o salir para obtener un respiro de todo el ruido.

- Si puedes, usa audífonos con cancelación de ruido para poder silenciar parte del ruido de las áreas circundantes.

- También ayuda a visualizar una luz dorada alrededor de tu estación de trabajo completa que repelerá la negatividad y solo permitirá la entrada de energía positiva.

Cualquiera de estas técnicas te ayudará a crear un capullo de protección para que no caigas en las emociones de las personas con las que trabajas.

Sociedad y empatias

Cuando se trata de vivir como un empático, hay dos maneras en que las cosas pueden ir. La sociedad te apoya, está interesada en tu regalo y te quiere por eso, o piensan que hay algo mal contigo, eres demasiado sensible o melodramático.

Es genial cuando la sociedad te apoya, pero ¿cuántas veces se le ha llamado a esto: temperamental, melodramático, frágil, débil, mocoso, sin espinas, débil, demasiado sensible o de piel delgada. Esto es algo que la mayoría de los empáticos deben enfrentar.

Los empáticos ocurren en aproximadamente el cinco por ciento de la población. La habilidad que poseen los empáticos es tanto una bendición como una maldición. Son increíbles consejeros y oyentes, saben cómo consolar mejor a las personas y ayudar a las personas que los rodean. Pero encontrarán que este trabajo es agotador y doloroso, y es aún peor cuando las personas no les entienden o les consideran "extraños".

La mayoría de la sociedad tiende a estar más abierta a los empáticos ahora que en el pasado, y la mayoría de los empáticos son apreciados por su maravilloso regalo; aún así, se enfrentan a una variedad de percepciones equivocadas. Vamos a refutar algunos de esos mitos sociales ahora.

1. Los empáticos son ensimismados y miran el ombligo.

La verdad es que se enfocan más en los demás que en ellos mismos. Los empáticos a veces son inexplicablemente tranquilos y de mal humor en el exterior. La razón de esto no tiene nada que ver con que sean absorbidos consigo mismos. Más bien, están profundamente afectados por las emociones exteriores de quienes los rodean y se sienten como si fueran suyas.

2. Los empáticos son enfermos mentales.

La verdad es que son imanes de energía negativa. Esto a menudo hará que tengan un desequilibrio psicológico.

Los empáticos son grandes consejeros, oyentes y confidentes. Debido a esto, las personas se sienten atraídas por sus naturalezas cariñosas, como los imanes. Esto significa que un empático experimentará una gran cantidad de descarga emocional de los demás y, a veces, tendrá dificultades para liberar esa energía negativa.

Desafortunadamente, esto a menudo causará un sentimiento depresivo persistente. Esto significa que un empático puede parecer ser un enfermo mental, y en algún caso lo es. Sin embargo, en su mayor parte, simplemente están congestionados con los restos de energía emocional dañina.

3. Los empáticos son psicológicamente frágiles.

La verdad es que están biológicamente programados para ser sensibles y estar en sintonía con su entorno.

Los empáticos caminan alrededor con los problemas acumulados del mundo entero y esto causa tensión emocional interna para ellos. Es por esto que son más propensos a llorar y exhibir signos de "debilidad".

A los empáticos también les resultará difícil participar en actividades "normales". Sienten las emociones más profundamente que los demás, lo que significa que son vistos como "de mente débil", "wussy" o "frágil".

4. Los empáticos son perezosos.

La verdad es que les falta energía física, emocional y mental debido a sus intensas habilidades empáticas para entender a otras personas.

A los empáticos a menudo se les ha diagnosticado fibromialgia, insomnio, dolores de cabeza y síndrome de fatiga crónica. Cuando su cuerpo está constantemente sobrecargado de presión, estrés y tensión, se traducirá en sus cuerpos. Esto a menudo resultará en algún tipo de enfermedad. Cuando carecen de energía, a menudo prefieren relajarse, pero eso no los hace perezosos.

En Historia

La palabra empatía surgió hace aproximadamente un siglo de una traducción de la palabra alemana Einfuhlung, que significa sentir + in. Los psicólogos ingleses sugirieron varias otras traducciones de la palabra, pero en 1908 dos psicólogos de la Universidad de Cambridge y Cornell sugirieron la palabra empatía, tomando del griego "em" que significa "en" y "pathos" que significa "sentimiento".

Cuando fue acuñado, la empatía tenía menos que ver con sentir la emoción de otra persona. A principios de 1900, significaba avivar un objeto o proyectar tus propios sentimientos en el mundo. Los primeros experimentos de psicología sobre la empatía observaron la empatía kinestésica, que es un sentimiento o movimiento corporal que creó un sentimiento de fusión con un objeto. En los años 20, creían que las audiencias podían sentir que estaban realizando los movimientos que dicen que realizan los bailarines.

La definición comenzó a cambiar a mediados de siglo. Las primeras pruebas se realizaron en 1948 por la psicóloga Rosaline Dymond Cartwright y el sociólogo Leonard Cottrell. Aquí es donde cambió la definición para enfatizar la conexión interpersonal.

Reader's Digest presentó la palabra al público en 1955 y la definió como "la capacidad de apreciar los sentimientos de la otra persona sin que te involucres tanto emocionalmente que tu juicio se vea afectado".

En las últimas décadas, el interés por la empatía ha ido más allá de la psicología a la neurociencia y la primatología. La investigación ha ampliado nuestra comprensión de lo que es la empatía.

Las desventajas de ser un empático

Con toda la energía que toman los empáticos, es probable que haya efectos secundarios negativos. Estos pueden manifestarse en dolencias físicas reales. Los empáticos pueden experimentar un inicio repentino de fatiga crónica debido a la gran caída en los niveles de energía.

Esto puede deberse a una variedad de responsabilidades emocionales, y también a la tendencia de los empáticos a perder su propia energía cuando no pueden permanecer en el presente, equilibrados, conectados a tierra y conscientemente conscientes.

Los empáticos a menudo se sentirán muy agotados cuando hayan estado cerca de las personas porque estas interacciones pueden generar agotamiento emocional. Los empáticos deben tener mucho tiempo a solas para recargar sus baterías y retirarse.

Nuestros sentimientos, pensamientos y emociones pueden causar estragos en los sistemas internos de un empático, lo que causará consecuencias devastadoras que los dejarán debilitados. Cuando un empático no tiene espacio para calmar su mente, se vuelve hiperactivo por la noche, lo que evita que los empáticos puedan relajarse y dormir.

Su mente hiperactiva hará que se fatiguen por el continuo bombardeo de estímulos, que no les permite recargarse, reponerse y descansar. Esto hará que tengan patrones de sueño erráticos. Algunos días pueden requerir diez o más horas de sueño, mientras que otros solo necesitan una o dos.

Los sentimientos emocionales que están vinculados a los recuerdos pueden hacer que los empáticos sientan emociones como paranoia, pánico, resentimiento, ansiedad y miedo, por lo que el cerebro se convencerá de que están bajo una amenaza real. Por lo tanto, el cerebro indicará a la glándula suprarrenal que produzca hormonas, lo que libera una oleada de energía.

Cuando un empático está expuesto a estrés y ansiedad intensos o prolongados, o tienen un estilo de vida poco saludable, como crisis de la vida en general, situaciones familiares estresantes, relaciones estresantes, mala alimentación, exceso de trabajo, abuso de sustancias o muy poco o demasiado sueño, ponen a Muchas exigencias en sus glándulas suprarrenales.

Estas glándulas son glándulas endocrinas en forma de riñón de tamaño de nogal que se encuentran justo encima de los riñones. Son excelentes cuando están bajo estrés, pero cuando están sobre estimulados, continuarán produciendo energía que puede dejar al empático permanentemente conectado y en alerta máxima. Al final, se queman y funcionan mal.

Cuando las glándulas suprarrenales no funcionan correctamente, es posible que se sienta constantemente fatigado, abrumado, mareado, ansioso, irritable y desgastado. Es posible que experimente niveles altos o bajos de azúcar en la sangre, antojos de sal o azúcar, palpitaciones del corazón y le resultará difícil manejar las situaciones estresantes.

Durante el sueño, los niveles de cortisol, que son producidos por las glándulas suprarrenales, aumentarán naturalmente y alcanzarán su punto máximo unas pocas horas antes de levantarse. Esto está destinado a darnos un buen comienzo para el día. Esto es lo que se conoce como el ritmo circadiano.

Con las glándulas suprarrenales agotadas, se despertará sintiéndose cansado, incluso si durmió toda la noche. Incluso puede sentir somnolencia durante la mayor parte del día, pero luego el cortisol alcanza su punto máximo a última hora de la tarde y le dificulta conciliar el sueño.

La glándula suprarrenal puede tardar un tiempo en desgastarse, por lo que la reparación completa demora el mismo tiempo. Hay cambios, sin embargo, que pueden tener un efecto inmediato. Lo más importante es asegurarse de escuchar a su cuerpo y prestar mucha atención a cómo se siente.

Para mantener sus glándulas suprarrenales nutridas y evitar la fatiga suprarrenal, puede comer una dieta nutritiva, orgánica y bien balanceada con mucha proteína y muchas vitaminas A, B y C. Asegúrese de darle suficiente tiempo a su cuerpo para absorber estos nutrientes antes de hacer cualquier tipo de actividad física. También es importante que evite el consumo excesivo de alcohol y reduzca o elimine la cafeína, la sal refinada y el consumo de azúcar refinada.

Al crear seguridad, dormir bien por la noche, ser optimista, encontrar paz interior, alegría y estabilidad, todos le ayudarán a reequilibrar las glándulas suprarrenales. La simple idea de irse a la cama puede causar cierta ansiedad si creemos que vamos a permanecer despiertos durante horas, entrando y saliendo del sueño ligero, pero sin llegar a ese estado tan necesario delta.

La meditación también ayuda a los empáticos a concentrarse en el cuerpo para que estén conscientes de todas las sensaciones que están ocurriendo, y también puede ayudarles a calmar y calmar su mente para que no continúen repitiendo pensamientos negativos a través de su cerebro y provocar una reacción química.

Pasar tiempo con amigos y familiares, o ir a actividades sociales también puede ayudar a regular sus niveles de cortisol. Esto se debe a que se sabe que aumentan una vez que pasan largos períodos de tiempo solos, lo que significa que se sentirán separados, solos y aislados. Si un empático se siente contento en su propia compañía, terminarán sintiéndose equilibrados y sus niveles de cortisol no se convertirán en un problema tan importante.

Tu régimen de ejercicio y dieta también puede agregar estrés a tus glándulas suprarrenales. Si presionas demasiado tu cuerpo, habrá una gran demanda en las glándulas suprarrenales. Esto terminará causando que produzcan demasiadas hormonas relacionadas con el estrés.

Los entrenamientos intensos, saltarse comidas y comer comida chatarra pueden hacer que las glándulas suprarrenales trabajen demasiado. Si un empático también tiene alergias alimentarias, pondrán aún más estrés en sus glándulas, por lo que es importante que presten atención a las intolerancias alimentarias que tienen.

Cuando las glándulas suprarrenales están fatigadas, puede despertarse durante la noche en alerta máxima de un sueño que fue altamente estimulante, lo que aumentará su estado de ansiedad.

Las noches de insomnio son lo más común cuando soportas períodos de ansiedad y estrés porque incluso si eres capaz de dormir, puedes despertarte durante la noche sintiendo la adrenalina corriendo por tus venas, pero sin saber por qué. Estas alteraciones del sueño están estrechamente relacionadas con las reacciones bioquímicas debido a los altos niveles de hormonas del estrés en el cuerpo alrededor de las dos a las cuatro de la mañana. Este aumento en tus hormonas afectará dramáticamente tu capacidad para mantener la calma, que es la razón por la cual tu sueño se interrumpe.

Esto se puede arreglar haciendo algunas pociones mágicas y terapéuticas con sal sin refinar y miel orgánica. También es útil tener una lámpara de sal del Himalaya junto a su cama. Esto eliminará los iones positivos en el medio ambiente y los reemplazará con iones negativos, que imitan el equilibrio en la naturaleza. Esto también ayudará a deshacerse del smog eléctrico que causan sus dispositivos electrónicos para que el aire se mantenga limpio. Esto significa que habrá mejorado la circulación de aire y podrá respirar mejor.

Criando niños empáticos

Un niño empático tendrá un sistema nervioso que reacciona fuerte y rápidamente a estímulos externos como el estrés.

Los niños empáticos sienten mucho y no entienden cómo manejar esta sobrecarga sensorial. Experimentan más emociones. Tienen más intuición. Ellos huelen, oyen y ven más. Podrías darte cuenta de que no les gustan ciertos olores cuando les estás cocinando la cena. Un nuevo perfume podría enfermarlos. Pueden tener dolores de cabeza en condiciones de iluminación severa o hablar en voz alta. A ellos les gusta la ropa suave, la naturaleza, la belleza y tener solo algunos amigos cercanos.

Sus sentidos se ven bombardeados por la tosquedad del mundo y esto provoca cambios en su comportamiento. La mayoría de los niños empáticos no entienden por qué se enojan. Los padres que los entienden pueden ayudarlos a encontrar sus factores desencadenantes y darles soluciones para ayudarles a aliviar su estrés.

Como padres, debemos entender qué es lo que más estimula a nuestros niños empáticos y mantenernos alejados de estas actividades. Hacer cosas que los mantengan calmados ayudará con la ansiedad, las rabietas y el agotamiento. Los factores desencadenantes normales pueden incluir: Noticias nocturnas, películas violentas o programas de televisión, tiempo sin interrupciones, tareas múltiples, sin interrupciones durante el día y demasiada cantidad en un solo día. Después de estar expuestos a estos factores, puede ser más difícil que se duerman. Es posible que necesiten más tiempo de inactividad para relajarse antes de acostarse. A los niños sensibles les toma más tiempo calmarse debido a la forma en que sus sistemas hacen la transición, que es más lento que los niños normales. Los niños empáticos absorben y sienten la incomodidad emocional de los demás, especialmente de sus amigos cercanos y padres. Estos niños son "súper respondedores", lo que significa que sus heridas son más profundas y sus alegrías son súper felices.

Los niños empáticos no tienen los filtros para eliminar el caos de las multitudes, el ruido y la luz. Abucheos, aplausos y vítores pueden ser dolorosos para ellos. No responden bien a las herramientas eléctricas, martilleo, bocina, o música fuerte. Estos sonidos les molestan cuando se comparan con el sonido apacible de las campanitas de viento, el agua corriendo o el canto de los pájaros. Los niños empáticos pueden llorar más y tratar de lidiar con sus sentimientos encontrando lugares donde puedan estar solos para tratar de manejar sus sentidos sobrecargados.

La mayoría de las escuelas y la sociedad no tratan de entender a estos niños excepcionales. Profesores y médicos normales los etiquetarán como quisquillosos, antisociales o tímidos. Se les diagnostica depresión, trastorno de ansiedad o fobia social. Tienden a ser suaves, profundos, reflexivos y más tranquilos en lugar de ser asertivos y muy verbales. Debido a que se les diagnosticó erróneamente, su rol como padre es apoyar su sabiduría, creatividad, intuición y sensibilidad. Tenemos que enseñarles una manera de lidiar con sus sentimientos.

La mayoría de los niños empáticos no reciben apoyo de los padres, maestros o médicos. No es porque no sean amados, es porque las personas no entienden lo que es un empático y no saben cómo manejar sus necesidades. La gente no sabe cómo alentar sus sensibilidades. Las personas los etiquetarán como demasiado sensibles y les dirán que necesitan obtener una piel más gruesa. Esos tipos de comentarios los harán pensar que algo está mal con ellos. Se sentirán invisibles y mal entendidos.

Comprender a tu hijo empático es lo primero que debes hacer para ayudarlo a sacar lo mejor de sí. Puede apoyar sus sensibilidades como parte de su profundidad, compasión y excelencia. Aquí hay maneras de saber si su hijo es empático:

- ¿Sienten las cosas profundamente?

- ¿Se sobreestimulan por el estrés, el ruido, las multitudes o las personas?
- ¿Reaccionan fuertemente a escenas de miedo y películas o libros tristes?
- ¿Quieren esconderse en las reuniones familiares?
- ¿Se sienten diferentes a otros niños o piensan que no encajan?
- ¿Son compasivos y buenos oyentes?
- ¿Te sorprenden con comentarios instintivos sobre otros?
- ¿Tienen conexiones fuertes con animales de peluche, animales, plantas o la naturaleza?
- ¿Requieren más tiempo solos?
- ¿Toman la tristeza o el estrés de sus amigos?
- ¿Toman el estrés o las emociones tuyas o de otras personas y actúan cuando se deprimen, se enojan o se enojan?
- ¿Tienen solo un amigo o algunos amigos en lugar de una gran red de amigos?

Para puntuar esta evaluación:

Si respondió sí a las 9 a 12 preguntas, su hijo tiene rasgos empáticos muy fuertes.

Si respondió sí a las seis o nueve preguntas, su hijo tiene fuertes rasgos empáticos.

Si respondió sí a las cuatro u ocho preguntas, su hijo tiene rasgos empáticos moderados.

Si respondió sí a una o tres preguntas, su hijo tiene algunos rasgos empáticos.

Si respondió no a todas las preguntas, su hijo no tiene absolutamente ningún rasgo empático.

Los niños que son empáticos son seres preciosos. No importa dónde aterrice su hijo en el espectro, se beneficiarían si usted les enseñara acerca de sus sensibilidades.

Segunda parte: Usar el poderoso regalo de la empatía

Desarrollando tu autoconciencia

Para entender a otras personas, tenemos que entendernos a nosotros mismos. Necesitamos enseñar a las personas que todos estamos hechos de diferentes personalidades, como nuestro crítico interno o nuestra voz feliz. Nuestro objetivo es reconocer todas las partes de nuestras personalidades para ser más conscientes de nuestros patrones y tendencias. Esto nos ayudará a navegar las relaciones y la forma en que nos conectamos con los demás.

Cuando podemos mejorar las diferentes partes de nuestras personalidades, también mejoramos la capacidad de comprender los estados mentales de otras personas. Esto se llama empatía o teoría de la mente.

La empatía y la autoconciencia están íntimamente conectadas. Cuando nos damos cuenta de lo que nos hace ser las personas que somos, podemos entender las diferencias entre los demás y nosotros mismos y lo que nos convierte en la persona que somos.

No es sorprendente saber que la empatía y la autoconciencia son las dos características principales de la inteligencia emocional. La empatía es estar consciente de los demás y su contraparte es la autoconciencia.

Una vez que te des cuenta de ti mismo, te darás cuenta de los demás. El yo será más claro y comenzarás a ver las formas en que eres diferente y similar a los demás en la forma en que te sientes y piensas.

Esta es una parte importante de la empatía. No se trata de encontrar maneras de ser como los demás, sino de ver cómo eres diferente. Puedes sentir empatía fácilmente con otras personas cuando crees que son como tú. No se trata de comprender su perspectiva, solo se proyecta sobre ellos.

Puede que seas introvertido, pero entiendes que no todos serán como tú. Cuando te encuentras con una persona que es más extrovertida, no debería sorprenderte o frustrarte. Solo date cuenta de que ambos tienen diferentes tendencias y personalidades y ten esto en cuenta cuando estés cerca de ellos.

Hay formas en que puedes comenzar a mejorar tu autoconciencia y que puedes comenzar ahora mismo:

- Meditación: Esta es la mejor manera de mejorar la autoconciencia. Si eres un principiante, solo aprende a respirar. Respirar haciendo meditación es una forma maravillosa de tomar conciencia de tus sentimientos y pensamientos cuando comienzas a aceptarlos sin juzgarlos. La meditación puede enseñarte cómo puedes mirar a tu alrededor y a ti mismo sin tener que reaccionar. Es una forma maravillosa de autorregularse. Este es otro aspecto de la inteligencia emocional.

- Cuestionarios de personalidad: Puedes aprender más sobre tu personalidad, lo que te ayudará a comprender cómo funciona tu mente y en qué se diferencia de otras personas. Hay encuestas gratuitas que te ayudarán a comprender mejor tu verdadero yo. Estos te mostrarán diferentes rasgos como la extraversión, la introversión, el panorama general y la orientación a los detalles. Tu puntaje en estos cuestionarios te dará una idea del tipo de personalidad que tienes.

- Contemplación: la meditación te ayuda a observar tus sentimientos y pensamientos. La contemplación te ayuda a analizar tu mente y aprender sobre tu proceso de pensamiento. Tomar de 10 a 15 minutos cada día para sentarse y analizar tus pensamientos y creencias es una excelente manera de estar consciente de cómo funciona tu mente.

- Juego de roles: una forma de descubrir más acerca de ti es pretender ser otra persona. Cuando estás practicando esto, puede revelar algunos aspectos ocultos de ti mismo de los que no eres consciente. Cuando intentas ser alguien que es muy diferente a ti, te mostrará qué encajará o no con tu personalidad.

- Pregunte a los amigos: Muchas veces nuestra familia y amigos saben más de nosotros que nosotros. Algunos rasgos de la personalidad están tan profundamente arraigados que simplemente los damos por sentado. Una buena manera de aumentar tu autoconciencia es preguntarle a tus amigos. Pídeles que te describan como persona. Esto podría revelar algunos patrones que ellos ven en nosotros que no podemos ver por nosotros mismos. Los amigos son buenos para ver nuestra extroversión, creatividad e inteligencia.

Estas son excelentes maneras de comenzar a mejorar la autoconciencia. ¿Alguna vez podremos conocernos completamente? Esa es una pregunta que no tiene respuesta. Somos seres complicados y es posible que nunca podamos comprender totalmente quiénes somos realmente.

Si podemos desarrollar activamente la autoconciencia, te ayudará a mejorarte a ti mismo y tu capacidad para conectarte con los demás de una manera significativa y genuina.

Recuerda lo importante que es la autoconciencia y prueba algunos de los ejercicios anteriores para comenzar a mejorarla.

Evita la naturaleza chupadora de los vampiros de energía

Ahora debes tener un buen entendimiento de lo que es un empático. Vamos a sacar algunos términos nuevos del camino. Cuando digo vampiro, no estoy hablando del tipo de chupasangre, aunque sí apestan.

Primero, hay un vampiro psíquico. Esto se usa para describir el tipo de persona que drena emocionalmente a una persona, ya sea empáticamente, es decir, secando su fuerza vital áurica, o metafóricamente, es decir, alguien que toma emocionalmente pero no responde. Los vampiros psíquicos son el tipo de personas que nacieron con una necesidad activa o latente, una necesidad física de energía vital que no pueden suplir por sí mismos. Son personas que tienen una dependencia psicológica para esta energía pránica.

Entonces tienes un vampiro de energía. Este es el tipo de persona que se alimenta de la energía o fuerza vital de otras criaturas vivientes, principalmente otras personas. A veces también se les conoce como vampiros emocionales, parásitos energéticos, psicópatas, depredadores energéticos, vampiros empáticos o vampiros pránicos.

El vampirismo emocional se refiere al acto de manipular a otra persona en una posición emocional intensa deseada, como la ira, la pasión o el amor para que puedan absorber la energía emocional. Este vampirismo incluye prácticas como aprender lo que una persona necesita en una pareja y acentuar ese tipo de rasgos para engañar a la persona para que piense que la ama.

La energía emocional proviene de un estado emocional intenso, generalmente ira, amor o pasión.

La energía pránica es energía vital y es la energía que se necesita para vivir.

Prana se refiere a la energía vital o fuerza vital, que impregna todo el cuerpo, y se concentra más a través de la línea media en los chakras. Esta es la energía que sostiene la vida que se centra en el cerebro humano que gobierna el intelecto consciente y la inspiración.

Ahora que hemos eliminado algunas definiciones, podemos comenzar a ver cómo evitar estas situaciones y elegir a esos vampiros de energía.

Quiero sacar mi PSA del camino. Quiero que todos los empáticos sepan que está bien deshacerse de cualquier relación con una persona que descubras que es un vampiro de energía. No hay manera de cambiarlos, y siempre será una relación parasitaria. Darás todo lo que tienes para hacerlos felices y te quitarán la fuerza vital. Siempre terminarás sintiéndote agotado, fatigado y todo a la basura.

Consiguen todo en la relación. Ellos toman y toman y toman, pero nunca devolverán nada. Son complicados, así que ten cuidado. Te harán pensar que te están ayudando o amando cuando en realidad no lo hacen. Sólo te están utilizando. No tengas miedo de cortar lazos con ellos. Si no puede cortar los lazos completamente, averigüe cómo establecer límites que no puedan cruzar.

Bien, volvamos a lo que hace un vampiro de energía. Se sabe que estas personas hacen amenazas, manipulan a personas, notorios culpables, dan vueltas en momentos aleatorios, engañan, pelean, causan problemas innecesarios y se alimentan de atención negativa.

Mientras que los vampiros de energía no es un término o diagnóstico clínico, Christiane Northrup, MD, explica que muchos vampiros de energía tienden a convertirse en trastornos de personalidad del "grupo B". Estas son personas que tienden a tener un comportamiento errático en las cosas, demasiado emocional y demasiado dramático. El grupo B incluye a las personas que tienen trastornos de personalidad narcisistas, límite y antisociales. Estas son personas cuyos trastornos no son causados por un desequilibrio químico en el cerebro. En cambio, son individuos que están equivocados o tienen una falta de conciencia o una brújula moral. Según Northrup, los vampiros de energía son a menudo los que se encuentran en el extremo de este espectro de trastornos de la personalidad, principalmente sociópatas y psicópatas.

En su mayor parte, los vampiros psíquicos no son malintencionados o malvados. En sus mentes, son víctimas. Piensan que son indefensos, paranoicos, impotentes, luchan por alcanzar la perfección que no se puede alcanzar, se involucran en extremos, se automedican y están preocupados por tener siempre la razón.

Estas personas no se dan cuenta de que pueden crear su propia realidad. Carecen de mentalidad. Siempre se enfocan en las cosas que no tienen. No creen que sea posible alcanzar el amor que desean. No creen que puedan satisfacer sus propias necesidades. Esto significa que creen que la única forma de satisfacer sus necesidades es alejándolas de los demás.

Los empáticos y las personas altamente sensibles son más susceptibles a este tipo de personas porque el vampiro emocional se siente atraído por nuestro calor, energía brillante y compasión. El vampiro emocional se deleitará con esas cualidades para saciar sus necesidades hasta que te sientas agotado y enfermo.

Los empáticos incluso se sienten atraídos por estas personas porque creen que están en necesidad. La cosa es que los vampiros de energía no quieren ser sanados. No están buscando a alguien que los salve. Todo lo que quieren es la atención que les prestas cuando todo lo que tienen es un problema innecesario y creado por ellos mismos que desean.

Estas personas son sobrevivientes. Mientras puedan encontrar una fuente de alimento, usted no tendrá ninguna necesidad de curarse o cuidarse a sí mismos. Cuanto más intentas solucionarlos, más problemas tienen que comienzan a aparecer.

Aquí hay algunos hechos. Alrededor del 20% de todas las personas, mujeres y hombres, tienen características de un vampiro emocional, o son vampiros en toda regla. Eso sale a una de cada cinco personas. Y cada una de ellas afecta a cinco personas. Eso es casi 60 millones de personas afectadas directa o indirectamente por estas personas. Eso significa que es muy probable que estés en una relación o conozcas a una persona que es un vampiro emocional.

El vampiro de energía podría ser una persona que consideres un amigo, un colega o incluso un padre. Sin embargo, lo más probable es que, a menos que haya sido amenazado por ellos, probablemente no se dé cuenta de que está tratando con uno porque son extremadamente encantadores, hasta que decidieron perseguirlo.

De repente, te sientes cegado por los insultos, te avergüenzas de todas las cosas diferentes, como cómo hablas, el nivel de ingresos, de dónde vienes, la edad, el tamaño del cuerpo o el estado social, e incluso puedes ser maltratado. Los vampiros de energía a menudo se vuelven distantes y de mal humor, lo que hace que camines sobre cáscaras de huevo. Esto solo hace que gastes más energía mientras los admiras y elogias por intentar mantener la paz. Esto afecta tanto su autoestima que usted cree que algo está realmente mal con usted.

Cuando vive con este estrés constante y la baja autoestima causada por esta persona, puede provocar una inflamación crónica debido a sus altos niveles de cortisol. Esto hará que usted se entregue a otros comportamientos, como drogas, alcohol o malas elecciones dietéticas. Esto solo causa más inflamación celular y puede llevar a la enfermedad. De hecho, muchos empáticos no se darán cuenta de que están tratando con un vampiro de energía hasta que se enfermen físicamente.

Lo que realmente apesta es el hecho de que tú podrías abrirle la puerta a estas personas a través de tus propias inseguridades. Tú mismo podrías sentirte impotente o sentirte como una víctima. Tú podrías convertirte en un buscador de aprobación. Los problemas de co-dependencia son su boleto de oro.

Existe la posibilidad de que solo te sientas bien contigo mismo cuando ayudas a otros. Incluso podrías sentirte indigno de las amistades o el amor a menos que hagas algo.

También puedes sentirte culpable por experimentar la buena fortuna cuando tantas otras personas no tienen suerte.

Incluso podrías ser adicto a los vampiros de energía. ¿Te gusta sentirte necesitado? ¿Necesitas agradar a la gente? Cuando estás cerca de un vampiro de energía, ¿te sientes mejor contigo mismo?

Incluso podrías ser un poco vampiro de energía. Después de que te has dejado drenar por un vampiro de energía, ¿terminas drenando a otra persona? ¿Tu atención solo viene de cosas negativas?

La dura verdad es que debes estar en el mismo nivel vibratorio que un vampiro de energía para atraerlos. Sus creencias y pensamientos centrales son los que crean estas vibraciones. Las emociones que experimentas son indicaciones de la vibración que tienes.

La buena noticia es que puedes evitar que esto suceda. Pero primero, veamos cómo puedes identificar a los vampiros de energía.

Identificando vampiros de energía

Mientras que, arriba, dije que los psicópatas son vampiros de energía, no son necesariamente los más comunes que podrías encontrar. La mejor manera de identificar a los vampiros con los que estás actualmente en contacto es pensar en las personas que se te ocurrieron cuando estabas leyendo la primera parte de este capítulo.

No todos los que exhiben rasgos narcisistas o a quienes les gusta ser el centro de atención son vampiros de energía. Hay algunos que reconocen lo que están haciendo, y si dices algo, se detendrán. Sin embargo, los vampiros de energía real son adictos a este tipo de comportamiento. Muchos vampiros de energía pueden haber heredado sus rasgos de un padre y desconocen por completo cómo afectan a los demás. Los siguientes son los seis tipos principales de vampiros de energía:

1. Mártir o Vampiro Víctima

Estos vampiros se aprovechan de tu culpa. Creen que están a la merced del mundo y sienten que sufren principalmente por otras personas, en lugar de responsabilizarse de sus vidas. Continuarán chantajeando emocionalmente, manipulando y culpando a otros. Su comportamiento destructivo suele ser causado por su baja autoestima. Sin obtener constantemente signos de aprobación, amor y agradecimiento, estos vampiros se sentirán inaceptables e indignos, lo que intentarán solucionar haciendo que el empático se sienta culpable y quitándole su empatía.

2. Vampiro narcisista

Este tipo de vampiro no tiene capacidad de empatía ni interés genuino hacia los demás. Inconscientemente llevan la filosofía de "Yo primero, tú segundo". Ellos constantemente esperan que los coloques primero en tu vida, hagas lo que dicen y alimentan a sus egos. Te manipularán con encanto, pero terminarán apuñalándote por la espalda. Si hay un vampiro narcisista en tu vida, podrías terminar sintiéndote extremadamente desempoderado porque estás aplastado bajo su centro de atención.

3. Dominator Vampire

A estos vampiros les encanta sentirse superiores y alfa. Debido a sus inseguridades acerca de estar equivocados o débiles, estos vampiros tienen que compensar demasiado intimidándote. Son personas de voz alta que tienen fuertes creencias y percepciones del mundo en blanco y negro. Tienden a ser intolerantes, sexistas o racistas.

4. Vampiro melodramático

Este tipo de vampiro prospera creando problemas. Su necesidad de crear drama típicamente proviene del vacío subyacente. Les encanta buscar crisis porque les da la oportunidad de sentirse victimizados, evitar problemas reales y tener una exagerada sensación de importancia personal. Otra razón por la que les gusta crear drama es que esas emociones negativas son adictivas.

5. Vampiro del juicio

Ya que tienen una baja autoestima, a estos vampiros les encanta meterse con los demás. La forma en que tratan a las personas es un reflejo de cómo se tratan a sí mismos. Les encanta aprovecharse de las inseguridades y reforzar sus propios egos haciendo que los demás se sientan avergonzados, patéticos o pequeños.

6. Vampiro inocente

Todos los vampiros de energía no son maliciosos, al igual que con vampiros inocentes. Estos pueden ser personas indefensas que realmente necesitan ayuda, como niños o amigos que tienden a confiar demasiado en usted. Es bueno cuando ayudas a las personas que le importas, pero también se les debe enseñar cómo ser autosuficientes. Jugar la roca en tu vida erosionará tu energía. Esto significa que no tendrás la energía para ti mismo.

Aquí hay algunos rasgos más de vampiros de energía, en caso de que necesites más datos que los aclaren.

1. Te agotan emocional y físicamente para que no puedas cuidar de tí mismo o ser productivo.

Estar cerca de estas personas tóxicas es como estar anclado en un pesado alquitrán negro. Te afecta a nivel fisiológico y psicológico. Todo tu cuerpo reaccionará. Incluso puede experimentar dolencias físicas o dolor que vienen de la nada.

2. Cuando no estás cerca de ellos, todavía puedes sentir sus efectos.

Podrías encontrarte reflexionando sobre las cosas extrañas que dijeron, o significar cosas que te hicieron. Probablemente te sentirás agotado emocionalmente por todas sus travesuras, sus intentos de causar problemas o la falta de respeto por sus derechos y necesidades básicas. La ansiedad severa es muy común en un empático que ha sido tocado por un vampiro emocional.

3. Te sientes más enérgico cuando estás lejos de ellos durante unos días o semanas, por mucho tiempo que desaparezca.

Una vez que te retires de ellos, te dará tiempo para restablecerte psicológicamente para que seas más productivo, más liviano y más feliz. Sentirás como si te hubieran quitado un gran peso.

4. Una simple conversación sobre algo que debería tener una solución simple hace que te sientas confundido y desorientado.

Encuentra que tienes que explicarles la integridad humana básica, la imparcialidad y la decencia. No te darán respuestas directas y no te honrarán como persona.

5. Trabajan como una aguja en un globo y su naturaleza te hará sentir como si te estuvieras volviendo tóxico.

Siempre que te sientas confiado, seguro de tí mismo y alegre, harán todo lo posible por desinflarte con críticas y humillaciones. Cuanto más tiempo estés cerca de ellos, más podrás retomar sus hábitos.

6. Nunca habrá reciprocidad. Estás ahí para satisfacer sus necesidades y descuidar las tuyas.

Son criaturas de un solo lado. Como empático, darás excesivamente, y ellos se regocijarán en tomar de tí. Las conversaciones se centrarán en ellos y son la únicas personas que son importantes. Toman decisiones sin considerar cómo te puedes sentir.

7. Te derribarán y te complacerán saboteando.

Aquellos que son más altos en el espectro narcisista serán patológicamente envidiosos de sus víctimas. Se vuelven celosos cuando los ven exitosos y prósperos. Ellos codician todo lo que tienes. En lugar de celebrar tu éxito, intentan disminuirlo, restarle valor o minarlo. A veces llegan tan lejos como para llegar a esquemas o recurso de pequeñas tácticas.

Protegiendote

Si no estás seguro de haber sido afectado por un vampiro de energía, estos son algunos de los síntomas de sus ataques:

- Los sentimientos de aura que disminuyen y disminuyen son los principales síntomas de los ataques psíquicos.
- El agotamiento y el mareo son signos comunes de un ataque de un vampiro psíquico.
- La falta de energía es un gran indicio de un ataque.
- La tensión muscular es otro signo común.
- Dolores de cabeza crónicos.
- Baja energía y cansancio constante.
- Impaciencia crónica, irritación e hipertensión.
- Dolencias físicas, como la gripe, el resfriado o cualquier otra enfermedad.

Como empático, es muy importante que sepas cómo protegerte de este tipo de personas. No importa cuánto lo intentes, aún aparecerán en tu vida de vez en cuando.

1. Comprométete a lo que sea necesario para ser feliz.

Haz tu mejor esfuerzo para elevar tus vibraciones tan alto que no serás una herramienta para un vampiro de energía. No vivas basado en lo que otros esperan de tí. Satisfacer tus necesidades y crear tus propios límites. Decir que no no significa que seas malo. Ser bueno no está determinado por tus sacrificios.

2. Haga coincidir vibracionalmente el tipo de personas con las que quieres estar.

Si deseas rodearte de personas bien ajustadas, competentes y respetuosas, debes proyectar ese tipo de cualidades. Deshazte de cualquier creencia fundamental negativa sobre tí mismo que haga que los vampiros entren en tu vida. Transmutarlos en cosas positivas para que otras personas positivas vengan a tí.

3. La Fuente es una fuente de energía infinita.

Todos tienen su propio flujo de Fuente de Energía. Entonces, es prácticamente imposible regalar energía o que te la quiten. Los vampiros de energía hacen que experimentes pensamientos negativos que te hacen perder la conexión con tu Fuente. Cuando este flujo de energía te restringe, comienzas a sentirte deprimido, confundido, agotado, etc.

4. Haz de tus buenos sentimientos una prioridad.

Haz que tu energía se mueva haciendo cosas que amas y que te dejan con energía. Tienes que amarte lo suficiente, ser diferente a las personas que agotan y te deprimen. No dejes ese tipo de personas a tu alrededor. Te mereces una relación recíproca y respetuosa sin sentir que debes proporcionar y servir la fuerza de tu vida.

5. Date cuenta de que existen.

Los empáticos tienden a creer que todo el mundo es bueno y permanecerán en malas relaciones durante demasiado tiempo como excusas para la otra persona. Darse cuenta de que hay personas que no son buenas te ayudará a protegerte.

6. Diario de tus instintos.

Los empáticos son altamente intuitivos. Después de estar alrededor de vampiros, esta habilidad puede disminuir. Una forma de volver a confiar en tu instinto es comenzar a escribir en diario. Presta atención a lo que tu cuerpo te está diciendo acerca de las personas.

7. Di no.

Esta es la mejor manera de protegerte para minimizar tus interacciones con ellos. Tienes que aprender a rechazar a los demás. Esto llevará algo de práctica. Si no puedes decir que no, comienza diciendo algo como "te lo haré saber". Lo más importante es aprender a dejar de decir sí automáticamente.

8. Obtener apoyo.

Necesitarás soporte una vez que lo "obtengas". Esto no solo significa un buen amigo. Querrás buscar un terapeuta que se especialice en este tipo de abuso. Hay algunos grupos de recuperación por ahí.

9. Recórtelos si puedes.

Si él / ella no es una persona con la que estás constantemente cerca, entonces pierde el contacto con él / ella. Si no puedes, reduce la cantidad de comunicación tanto como sea posible. Si es un ex con el que tienes hijos, solo envía un mensaje de texto cuando necesites comunicarte.

10. Crear límites fuertes.

Determina los tipos de actividades que puedes manejar. Tal vez ir a un lugar público es soportable, pero no los quieres en tu casa. Además, establece los tiempos de inicio y fin.

11. Se su manta mojada.

No hagas cosas para entretenerlos. No les permitas el acceso a tu energía. No les brindes la respuesta que buscan y eventualmente perderán interés.

12. Conoce la diferencia entre el vertido y la ventilación.

Todos necesitarán expresar su frustración de vez en cuando. Los vampiros de energía abandonarán sus sentimientos negativos, días malos, molestias, irritaciones y frustraciones en quienes los rodean. Las personas que dan rienda suelta son responsables de su papel en el problema y están tratando de encontrar una solución. El dumping es típicamente una perorata ininteligible.

13. No reaccionar de forma exagerada.

Haz tu mejor esfuerzo para mantenerte tranquilo, calmado y recogido alrededor de estas personas. Perder la calma les dará exactamente lo que necesitan.

Evitar las emociones no deseadas

La empatía es una gran habilidad para poseer, pero ¿qué sucede cuando empiezas a sentirte abrumado por las emociones negativas de los demás? Hay formas de dejar de absorber los sentimientos de otras personas y seguir siendo una buena persona.

Es la naturaleza humana ser empático con los demás. La empatía es un comportamiento que se puede encontrar en todos los animales sociales, como los ratones y los primates. La mayoría de las personas han desarrollado su empatía a partir de los instintos de los padres. Todos los padres, ya sean humanos o animales, se sintonizan con sus hijos para vincularse con ellos y saber cuándo están en peligro. Esta es la razón por la que a muchos no les gusta escuchar a un bebé llorar pierden el control cuando escuchan a un bebé que se ríe. La empatía es la razón por la que bostezamos o estornudamos cuando otra persona lo hace. También imitamos las expresiones faciales y el lenguaje corporal de otra persona. El cerebro ha sido cableado para ello.

No solo atrapamos los bostezos de otras personas. En realidad atrapamos sus estados de ánimo. Esto es genial si la felicidad de tu amigo te da un impulso. Se vuelve agotador cuando el estrés de tu pareja, el dolor de los compañeros de trabajo, la ansiedad del jefe o el adolescente que está detrás de la caja registradora con mal humor de McDonald's te infectan. La ira o el estrés de segunda mano son tan malos, si no peores, que el humo de segunda mano.

A medida que la investigación avanza, es fácil ver que toda la negatividad que captamos de otras personas puede impactar cada resultado educativo y empresarial. También puede impactarnos a nivel celular y posiblemente acortar nuestra vida útil. Algunos hoteles se han dado cuenta de los problemas asociados con el estrés de segunda mano y han implementado zonas de "no ventilación" donde los empleados no pueden quejarse con los clientes. Si una persona entra al consultorio de su médico y ve a una enfermera furiosa, el paciente puede percibir la ira de la enfermera y puede ser perjudicial para su cuidado.

¿Qué podemos hacer exactamente al respecto sin alejarnos por completo de la sociedad y vivir nuestra vida como ermitaños? Se necesitan límites y un cambio de perspectiva para protegerte de las emociones de los demás.

Etiqueta de los sentimientos de otras personas

Cuando podemos etiquetar las emociones de otras personas, pone distancia entre nosotros y la emoción. Nos da un momento de reflexión para lidiar con la manera en que queremos reaccionar. Nos ayuda a lidiar con nuestras emociones negativas. Nos ayuda cuando necesitamos responder a la crisis de nuestro hijo. Nos ayuda a tratar con todos los demás. Al hacerlo, estás diciendo que estás sintiendo esta emoción en lugar de tí mismo. El lenguaje ha creado una barrera entre tus pensamientos y sentimientos y hace que los sentimientos no sean tan abrumadores.

Limitar la negatividad y las redes sociales

En esta época, no solo nos ocupamos de la sobrecarga de información; nos ocupamos de la sobrecarga emocional, también. Nos conectamos a Facebook y al instante sabemos que nuestros amigos se sienten enojados, hambrientos, tristes y con cualquier otra emoción que les gustaría compartir en las redes sociales. Twitter es otra plataforma para las emociones, también. Cuando la tragedia golpea y las noticias llegan al aire, las emociones de todos, ya sean amigos o enemigos, se suman a nuestros propios sentimientos. Las personas que vieron en las redes sociales que un amigo obtuvo una promoción se sintieron más estresadas. Las mujeres que estaban de luto por la muerte de una amiga cercana sintieron un 14% más de estrés que otras mujeres. Ahora estamos conectados a más personas; no importa si nos damos cuenta, influyen en nuestros sentimientos y vidas diariamente.

Aprende a ser selectivo con la exposición a los medios y redes sociales. Deshazte de esos amigos que simplemente publican horribles citas pasivo-agresivas que están dirigidas a los enemigos. Quédate con la lectura de noticias de The Onion. Nunca leas comentarios sobre cualquier cosa. Te llevarán a otro nivel de emociones.

Si estás constantemente rodeado de quejas crónicas o personas negativas, tendrás que aprender a desviar tu negatividad. Tu absolutamente tienes que eliminar o reducir el tiempo que estás alrededor de ellos. Será difícil si trabajas en un ambiente tóxico. Si tu familia es un factor de estrés constante, aunque sean familiares, debes limitar la cantidad de tiempo que pasas con ellos. Puede que tengas que romper esa amistad que has tenido desde la escuela primaria. No eres bueno para nadie si tus emociones son saboteadas por ellas constantemente. Puede que no te des cuenta, pero una vez que te alejas y dejes todo eso atrás, tu vida se volverá mucho más tranquila.

Crear un muro de positividad

No puedes bloquear todas las emociones negativas, pero puedes aumentar tus emociones positivas. Suena un poco cursi decirle a la gente que practique positividad y gratitud, pero si puede hacer que sea parte de su rutina diaria, aumentará tu felicidad. Trata de contar tus bendiciones, por así decirlo, cuando te encuentres llorando por el dolor de alguien. Como cuando las noticias muestran que otro tiroteo en la escuela o un amigo cercano pierde a un ser querido. Ayudará. También te ayudará a recordar y sentir la bondad que vive en el mundo incluso cuando nos llegan grandes cantidades de negatividad.

Si puedes aprender a desarrollar inmunidad natural, te ayudará a cuidar tu autoestima y bienestar. El mejor amortiguador para ayudarte a no captar el estrés de los demás es tener una autoestima sólida y estable. Si tienes una autoestima muy alta, podrás enfrentar cualquier situación que puedas enfrentar. Cuando te des cuenta de que estás entorpecido por el estado de ánimo de otras personas, tómate un momento y recuérdate que las cosas están bien y puedes manejar esto. El ejercicio es una excelente manera de aumentar tu autoestima ya que tu cerebro hará un registro de cada vez que haga ejercicio liberando endorfinas.

Dese una gratitud antes de ir al trabajo o cualquier ambiente estresante. Antes de comenzar la mañana, lo primero que debse hacer es pensar en tres cosas por las que estás agradecido. Hay cinco cosas que puedes hacer diariamente para ayudar a estimular tu cerebro contra la negatividad de los demás:

- Meditación de dos minutos
- 30 minutos de ejercicio cardiovascular
- Dos minutos de escritura sobre una experiencia positiva.

- Anota tres cosas por las que estás agradecido
- Envíe a un amigo un correo electrónico de dos minutos alabándolo por un logro

Pasa tiempo con personas que son alegres y positivas. Esto no significa que todos deban estar constantemente alentando las 24 horas del día. El solo hecho de estar cerca de ellos le dará a tus baterías que combaten la negatividad una recarga. Si estás teniendo un día terrible, horrible, nada bueno y muy malo, la risa de un niño o su canción favorita te ayudará a centrarte.

La empatía en la compasión

Aprende a transformar tu empatía en compasión. Esto puede parecer que son lo mismo, pero hay algunas diferencias. Diferentes secciones del cerebro se activan cuando compartimos el dolor de otra persona (esto es empatía) o si respondemos a su sufrimiento (esto es compasión).

Es fundamental descubrir la diferencia entre empatía y compasión. Cuando nos identificamos con el sufrimiento de otras personas, sientes su dolor y sufrirás tú mismo. Esto podría ser tan intenso que causará angustia en ti y podría llevarte a la abstinencia y el agotamiento. Pero, si sentimos compasión por el sufrimiento de alguien más, en realidad no sentimos su dolor, solo nos preocupamos y podemos tener una fuerte motivación para ayudarlos.

Las personas como los socorristas, los proveedores de atención médica y la Madre Teresa deben usar la compasión para mantenerse fuertes emocionalmente y no ceder ante todo ese sufrimiento. Las personas que tienen dolor no necesariamente quieren que sientas su dolor; sólo quieren un hombro para apoyarse. No necesitas sentir lo que ellos sienten para ayudarlos o cuidarlos. Sólo necesitas saberlo.

Usa técnicas como la meditación que refuerza la bondad amorosa para entrenar a nuestros cerebros para que cambien de la empatía a la compasión. Es aprender el arte del apego desapegado o preocuparse por los demás sin tener en cuenta a uno mismo.

La meditación es necesaria para evitar que las emociones de las personas se desprendan de ti. Necesitas ser consciente de tu energía y de cómo otras personas te influencian. Aplicar estrategias que te disminuyan o prevengan. La empatía es una gran habilidad de la que el mundo necesita más, pero tenemos que mantenerla controlada por la cordura y la cordura de los demás.

Curándote

Quizás te preguntes si ser un empático es una maldición o una bendición. Pregunta a cualquier empático y podrían decirte que es una maldición. Algunos empáticos muy extremos podrían decirte que es una sentencia de muerte. Si la gente lo etiqueta como un regalo, ¿por qué tanta gente odia serlo? ¿Los empáticos tienen un propósito?

Muchas personas que son intuitivas son empáticas hasta cierto punto. Podrían aprovechar la energía de otras personas o sentir su espíritu. Veamos a las personas que simplemente no sienten emociones, enfermedades y ansiedades ajenas, sino que las manifiestan en su propio ser.

Si has conocido a personas que siempre tienen algún tipo de dolor, siempre se sienten cansados y tienen enfermedades inexplicables, estas personas son empáticos. No son hipocondríacos. Simplemente no han podido lidiar con sus habilidades todavía.

Los empáticos se cansarán o enfermarán más rápido que las personas normales. Esto se debe al hecho de que toman muchas malas energías y ni siquiera lo saben. Permiten que la energía se acumule dentro de ellos hasta que se manifieste en una condición física. Puede ser enfermedad, ansiedad o letargo.

Si te encuentra con una depresión o ansiedad inexplicables, podrías estar asumiendo las emociones y energías de otras personas. ¿Te cansas a menudo? ¿Te mantienes alejado de la situación social porque te quitan la vida? Si dijiste que sí, entonces podrías ser un empático.

Necesitas encontrar formas de deshacerte de esa vieja energía, restablecerte y aprender a protegerte de la energía de otras personas. Puedes darte cuenta de que trabajar con un entrenador es útil, ya que puedes tomar lecciones y técnicas específicas a lo largo de toda tu vida.

Ser un empático puede parecer una maldición, pero es un regalo. Después de aprender una forma de usar tu regalo, podrás ayudar a muchas otras personas.

Los empáticos son grandes curanderos. Puedes sentir el dolor de otras personas y puedes ayudar a curarlos. Muchas veces las personas no tienen idea de dónde proviene su dolor emocional. Tú puedes ayudarlos. Tienes la capacidad de sentir la mala energía, así que ¿por qué no trabajarla? Los empáticos son grandes videntes de la verdad, entrenadores espirituales y practicantes de reiki.

¿Eres un empático pero no quieres trabajar en el mundo espiritual? Eso está perfectamente bien. Hacen grandes bomberos, acupunturistas, cuidadores de cuidados paliativos y enfermeras. Estos campos de sanación son excelentes para los empáticos.

Los empáticos son excelentes curanderos, ya que sienten las cosas en un nivel profundo. Puede parecer una locura ser un empático y trabajar cerca de la energía de otros, pero nacistes para esto.

Vas a tomar tu energía, pero hay formas de deshacerte de ella sin que quede bajo la superficie para convertirse en una enfermedad o ansiedad. Es fundamental para administrar tus habilidades y puede mejorar tu vida de muchas maneras. Cuando aprendas a identificar tu energía y emociones y descubras cómo dejarlo, todo será más fácil y podrás comenzar a alinearte con tu verdadero propósito. Finalmente serás el sanador que naciste para ser.

Muchas personas que se dan cuenta de que son empáticos quieren esconderse del mundo. Suena bien, pero no les está enseñando cómo lidiar con la energía rebelde. Con el tiempo, podrás aprender muchas prácticas y técnicas de curación para ayudar a que tu vida sea plena y feliz.

Habrá un gran cambio cuando empieces a centrarte en ser todo lo que puedes ser en lugar de solo sobrevivir. Esto es cuando despiertes completamente como un empático. Pasarás de sentirlo como una maldición y abrazarlo como un regalo. Veamos cómo podemos aprender a dejar de lado las experiencias pasadas y limpiar lo que no nos sirve para curarnos a nosotros mismos. Estas técnicas pueden ser utilizadas por cualquier persona y cambian la vida. El punto principal a realizar es comenzar donde estás. No necesitas crear una versión de tí mismo e intentar proyectar desde allí. Esto es un perjuicio para cualquier trabajo verdadero que tengas disponible. Ser totalmente transparente contigo mismo requiere una gran cantidad de coraje. Es el paso más importante en el camino.

Tienes permiso para poner tus necesidades primero. Esto puede sonar contraintuitivo siendo un empático. Tienes que hacer esto desde el principio. Necesitas saber que todo en el universo es energía y que todas las cosas están conectadas. La mayoría de las técnicas trabajan con la energía y el reino espiritual. Solo mantén tu mente abierta y te servirá grandemente. Darás muchos pasos en tu viaje de sanación. Te tomará un tiempo antes de que te establezcas en un ritmo que te sientas seguro y adecuado para tí. Todos nosotros podemos sanar cualquier enfermedad o desalineación dentro de nosotros mismos con intención, imaginación, una mente abierta y un corazón cálido. Todo es solo el ritual que usamos para ponernos en nuestro estado de ser, de modo que nuestro sanador interno pueda realizar milagros. Estas prácticas requieren que confíes en lo desconocido, usa un poco de magia, imaginación, creatividad y fe.

Junto con el trabajo con energía, estilo de vida, dieta y trabajo corporal, empáticos, elevadores, duchas, curanderos, curanderos y personas que están aquí para curar a la sembradora, están llegando a un momento en que es importante reprogramar sus creencias sobre estar en servicio. Estar en servicio no significa que tengas que sacrificarte. Muchos empáticos han sufrido mucho en manos de alguien a quien amaban profundamente. De los años de no ser comprendidos, de las necesidades infantiles insatisfechas, muchos empáticos tienen baja autoestima y mucha desconfianza. Han sido rechazados o ridiculizados debido a su sensibilidad y pueden estar a la defensiva o reprimirlos por completo. Muchos tendrán problemas de confianza que ni siquiera pueden confiar en sí mismos. Pueden sentir que sus propios cuerpos y emociones los han traicionado. Es posible que hayan sido abandonados por las personas más cercanas a ellos durante sus horas más débiles. Esto puede crear patrones en sus relaciones donde buscan personas que coincidan con esa parte de sí mismos. Con la práctica, puedes descubrir por qué nos abandonamos cuando las emociones se vuelven demasiado abrumadoras.

El cambio más grande vendrá cuando te des cuenta de que no tienes que sacrificar tu felicidad por la de nadie más. Cuando te das cuenta de que tus sentimientos son importantes, que tus pensamientos y emociones hacen que la materia sea física, puedes crear muchas profecías cuando te sientas abrumado por las emociones negativas. Puede que estés en un momento de tu vida en el que sientas que tener que cuidar a alguien significa que literalmente debes darles tu último aliento. Podrías descuidar tus propias necesidades y sentimientos para mostrar a otros que te importan. Muchas veces estas mismas personas confunden tu amabilidad con la debilidad.

Para que puedas cultivar tu propia felicidad y plenitud, debes aprender a relacionarte con otras personas que ya no sirven a tu bienestar.

Tienes que dejar de hacer estas cosas:

- Complaciendo a todos.
- Habilitando el comportamiento destructivo.
- Haciendo su trabajo.
- Ser el chivo expiatorio de alguien por su trauma no resuelto.
- Pasar tiempo con la gente porque te sientes culpable.
- Dale a las personas tu energía mientras no les importe tu tiempo o tus sentimientos.
- Siempre siendo una víctima.
- Siendo codependiente.

Los empáticos sufren mucho daño a manos de los narcisistas. Debido a la barrera emocional de las personas que te rodean, esto podría hacer heridas que nunca sanarán. Parece imposible dedicar tiempo a resolver sus problemas mientras cargan el peso del equipaje de otras personas. Aquí hay algunas formas en que puedes comenzar a curar tus propias heridas antes de tomar cualquier otra cosa de las personas a tu alrededor:

- Desconectar

Es difícil que un empático se desconecte de las personas que lo rodean, pero es la mejor manera de comenzar la curación. Esto está en la parte superior de la lista porque está en la base de los otros que siguen. Aléjate. Si es solo por una hora, no te preocupe, todo estará justo donde lo dejastes.

- Aceptación

Al tratar con todo en tu vida, es esencial que te des cuenta de que eres un empático. No te preguntes si puedes ser, acéptalo como la verdad de quién eres. Eres único y no tienes de qué preocuparte. Los empáticos son criaturas hermosas. Normalmente piensan que están rotos. El mundo debería estar cuidándote en lugar de que tú trates de cuidarlos.

- Me pertenece

Cuando hayas aceptado el hecho de que eres un empático, hazlo parte de tí. No es una excusa para sentirte cómo te sientes. Estar orgulloso de tí alposeer esa existencia. Se piensa que solo una persona de cada 20 es un verdadero empático. Siéntete orgulloso de tu sensibilidad. Es la única manera de dejar de sentirte como una víctima.

- Meditar

La meditación es tan importante. No hay suficientes horas en el día para expresar lo importante que es. Hay cientos de técnicas disponibles para que las estudies y perfecciones. Solo necesitas encontrar lo que funciona para tí. Para algunas personas, su ruido blanco u otros prefieren las obras musicales. Otros necesitan un completo silencio. Tomate el tiempo para encontrar lo que funciona mejor para tí.

- Quiérelo

Aceptar tu empatía y poseerla es extremadamente importante, pero debes amarla. Recuerda que eres especial. Eres totalmente único. La gente está bendecida de tenerte en sus vidas. No eres una carga. Es como los médicos que culpan a sus pacientes por enfermarse. Ser un empático es solo una parte de lo que te hace, tú. No es una condición que necesita ser tratada.

- Desarrollar límites

Tienes que desarrollar límites. Esto es muy crucial. No estamos hablando de construir muros aquí. Piensa en los límites como líneas en la arena. Asegúrate de que las personas en tu vida estén de tu lado. Si lo cruzas, te facilitará distanciarte de ellos. Sé honesto acerca de los límites. Asegúrate de que no sean invisibles. Lo más difícil para un empático es deshacerse de las personas que cruzan las fronteras.

Las energías de las personas revelarán más acerca de ellas que las palabras nunca. Podrías haber sido tímido y tranquilo como un niño. Prefieres mirar a la gente en lugar de involucrarte. Es posible que adquieras muchos matices y corrientes subterráneas de emociones y pensamientos.

Dolor, energía, sensaciones, sentimientos, significado, palabras, caras y personas, es posible que puedas sentir todo. Podría hacer que te enfermes hasta la médula. Aprender que eres un empático abrirá una puerta para la curación y el autodescubrimiento. No estás solo en lo que estás experimentando.

Aquí hay ocho verdades importantes que descubrirás siendo un empático:

1. No tienes que asumir el dolor de la gente.

Ser empático significa que estás sintonizado con el dolor de los demás y lo internalizarás como el tuyo. Tienes que recordar que solo puedes hacer mucho para ayudar a los demás. Puedes intentar guiarlos o ayudarlos tanto como puedas, pero tienen que ayudarse a sí mismos para que ocurra cualquier curación. Nuestra naturaleza nos ciega al hecho de que muchos no quieren ser arreglados porque les gusta sentirse seguros en su miseria.

2. Acepta el dolor en lugar de escapar de él.

Puede sonar contraintuitivo entrar en tu dolor. Es un paso importante liberar toda la energía dentro de ti. Cuando te preocupas por intentar escapar, reprimir y mantenerte alejado del dolor, continúas en el ciclo del sufrimiento. En lugar de correr, solo detente y quédate quieto. Siéntate y permítete sentir el dolor, la ira, la confusión y la fatiga. Cuando puedes enfrentar el dolor que sientes, puedes aprender a dejarlo ir.

3. Podrías proyectar tus sentimientos en los demás.

Ser un empático proporciona una escotilla de escape por así decirlo. Da la oportunidad de echar la culpa a los demás. Podrías absorber las emociones de otros como una esponja, pero eso no significa que no puedas crear y experimentar tus propias emociones. Es fácil retratarnos como víctimas. Es mucho más difícil aceptar nuestra propia felicidad. Tenemos que aprender a distinguir lo que estás sintiendo de lo que los demás sienten. Puede que no haya una buena distinción. Es posible que descubras que estás sintiendo alrededor del 45 por ciento de las emociones que otros sienten alrededor del 55 por ciento. Podrías sentir el 20 por ciento y otros el 80 por ciento

4. La autoestima tiene un papel muy importante en el hecho de poder lidiar con ser un empático.

Los empáticos que tienen baja autoestima sufren más que las personas que tienen una autoestima equilibrada y saludable. Parece obvio ¿verdad? No siempre. Puede ser confuso ser un empático. Es fácil culpar a tus sentimientos de inutilidad y desesperanza en la energía que absorbemos todos los días. Cuando te das cuenta de que cuanto más confianza, respeto y amor puedas crear dentro de tí, menos sufrirás. Dejarás de tener pensamientos como "soy raro". "Estoy maldito." "No me gusta ser un empático". Todos estos son causados por la baja autoestima.

5. Ser un empático es diferente de tener empatía.

Esto es difícil de aprender para muchos. La empatía no es lo mismo que la compasión. No es sentir pena por los demás y querer ayudarlos. La empatía es mirar más allá de la fachada de lo que la gente dice o hace. Se trata de comprender sus valores, sentimientos, creencias, comportamientos y situaciones.

Tener empatía te ayuda a entender a las personas y poder caminar en sus zapatos. La empatía es una experiencia emocional e intelectual. Ser un empático es una experiencia emocional, física y kinestética. Es posible que puedas compartir los sentimientos de otra persona, pero es posible que no los entiendas a un nivel más profundo. Saber que ser un empático es diferente de la empatía te ayudará a crecer como persona.

6. El blindaje no siempre es útil.

El blindaje puede ser útil como técnica temporal, pero no es una solución a largo plazo. El blindaje se trata de resistir la energía de otros y esto solo sirve para continuar manteniendo el dolor y el miedo en el interior. En lugar de luchar, ábrete. Déjate experimentar las emociones, pero déjalas pasar y no las adoptes como parte de ti. Esto requiere práctica y tiempo. No adjuntar es mejor para una solución de largo tiempo.

7. La atención plena del cuerpo y la catarsis son técnicas útiles.

Es importante que incorpores una forma de catarsis en tu rutina diaria para deshacerte de la mala energía que podrías estar reteniendo. Las formas útiles de catarsis para empáticos son trotar, caminar, meditar, escribir o llevar un diario.

Otras formas pueden ser llorar, reír, gritar en privado, bailar y cantar. Es beneficioso enseñarte a tí mismo cómo ponerte en sintonía con tu cuerpo.

Esto se llama la atención del cuerpo. Básicamente, es aprender a estar en sintonía con tu cuerpo. Es una excelente forma de anclarte y anclarte en lugar de perderte en todas las sensaciones y emociones que te atacan. Esta es una buena manera de escuchar tus necesidades y cuidarte.

8. Todo el mundo puede ser un empático.

Esto no significa que sea solo para tí o para un grupo selecto de personas. Los empáticos tienen dones hermosos y sobrenaturales. La verdadera belleza es cuando estos regalos no se limitan a un cierto número de personas. Este tipo de sensibilidad es un estado natural. Con el condicionamiento, las creencias y la educación, perdemos contacto con el verdadero estado de la humanidad que implica estar en sintonía con los demás.

Trabaja a través de tu miedo

El miedo es mucho más que simplemente tener miedo de los payasos espeluznantes y las historias de terror, ya que aparecen 365 días al año y nos impide tener la vida que merecemos.

¿Qué es exactamente el miedo? Una definición simple es "una emoción desagradable causada por la creencia de que algo o alguien es peligroso, es probable que cause dolor o una amenaza". Cuando le pregunten a alguien en la comunidad espiritual, dirán que "el miedo es una evidencia falsa que parece real". Ambas definiciones son verdaderas y pertenecen al mundo. Porque lo que tememos no siempre es falso, veamos la primera definición.

La diferencia entre el miedo y el peligro

Tienes que tener en cuenta que el miedo no es real. Simplemente es producido por los pensamientos que creas. El peligro es real. El miedo es una opcion.

Cada acción que hagamos causará un efecto dominó. Cada acción tendrá sus propias consecuencias. El miedo es reconocer inconscientemente cuáles podrían ser las consecuencias. Si bien es agradable pensar que el miedo es solo una evidencia falsa que parece ser real, puede haber ocasiones en que nuestro subconsciente tenga razón y realmente haya algo que temer. Lo que nuestra mente hace como historias que tememos tiene un propósito. Nos informan de lo que podría ser posible para tomar medidas para prevenirlo.

El miedo se convierte en un problema cuando tomamos esas historias y las convertimos en la verdad en lugar de lo que podría ser. Esto es cierto para la mayoría de las personas que tienen ansiedad. Ser capaz de ver la diferencia entre el verdadero peligro y el posible peligro es extremadamente importante cuando se habla de miedo.

Puede que te guste hacer fotos de cualquier cosa y todo lo que ves. Has pensado en crear una cuenta de Instagram para mostrar tus imágenes al mundo, pero temes que alguien las critique. La gente podría pensar que eres raro o extraño. Esto tiene consecuencias. Podrías perder amigos si realmente ven al verdadero tú. Es posible que no consigas esa promoción si tu jefe ve tus fotos. Sí, hay un peligro. La realidad es que esos pensamientos eran solo posibilidades sobre lo que podría pasar.

Usted tiene opciones

Siempre tienes la opción de creer en el miedo o desafiarlo. Cuando puedes darte cuenta de que sí, habrá consecuencias, y esas consecuencias podrían afectarnos negativamente, podemos elegir actuar, pero siempre ser conscientes. Dado que la mayoría de lo que pensamos sobre el mundo es falso, nuestros temores acerca de tomar un determinado camino generalmente están enraizados en un falso peligro. Por eso tienes que encontrar tus miedos y mirarlos más profundamente.

Para citar a Nelson Mandela: "Que tus elecciones reflejen tus esperanzas, no tus miedos".

Mira estas preguntas cuando mires tus miedos:

1. ¿Este miedo alguna vez se hará realidad?
2. ¿Qué es lo peor que podría pasar si el miedo se hiciera realidad? ¿Sería el final de todo lo que sabes?
3. ¿Podría hacer algo para resolver el problema si sus temores se hicieran realidad?

Piensa en la cuenta de Instagram de nuevo. Si alguien mira tus fotos y piensa que eres extraño, no hay problema. Las personas que más te importan y que quieres cerca de tí conocen tu verdadero yo. Si una publicación ofende a alguien, puedes enviarle un mensaje privado y hablarle sobre la belleza de los diversos pensamientos y creencias.

Si eso no funciona, puedes establecer límites y dejar de seguirlos. En cuanto a tu trabajo de tiempo completo, siempre se respetuoso y consciente de la ética social y laboral de tu profesión al publicar y escribir. ¿Quieres trabajar para alguien que disminuye quién eres y tus creencias? Absolutamente no. Esos temores no son necesarios.

Hazte las preguntas anteriores y propón "respuestas" para facilitar las elecciones racionales. No importa cuál sea la situación, siempre tendrás la opción de sucumbir o desafiar el miedo. Tener la capacidad de diseccionar tus miedos y saber si tus miedos te causarán peligro, es el paso principal para hacerte algo que temes.

Seguir tus sueños va a dar miedo. Se supone que es. Todos tenemos talentos naturales y el Universo nos ayudará cuando estemos alineados con nuestro propósito. Estamos aquí para trabajar y crecer con Karma. Si lo que quieres hacer te asusta, es probablemente lo que debes hacer.

Crecemos cuando tenemos miedo. Sería extraño si lo que se supone que debemos hacer no da miedo. Si su propósito en la vida es liderar y crear, y liderazgo, eso significa que tenemos que intensificarnos y ser vistos. ¿Por qué nacen los introvertidos con ansiedad social? Ellos están aquí para aprender a pesar de su miedo. Aprender que lo que realmente temen no es nada que temer.

Tener miedo no es lo mismo que ser incompetente o no ser adecuado para un camino específico. Es una invitación a trabajar para limitar sus creencias a fin de obtener una mejor imagen de lo que importa o no. Esta es la razón de ser y el propósito principal del trabajo de tu vida.

En algún momento de tu vida, recordarás estos momentos y pensarás que no fue tan horriblemente malo. Incluso podrías reírte y darte cuenta de que lo que más te asustaba no era para nada aterrador.

¿Te sientes seguro?

Ser un empático, sentirse seguro podría escaparte alguna vez. Puede provenir de las experiencias de nuestra juventud o de la forma en que fuimos condicionados como niños. Llevamos todo esto con nosotros a medida que nos convertimos en adultos. Afecta todos los aspectos de nuestras vidas.

Sentirse seguro, seguro y ser abundante se ve amenazado por muchas cosas:

- La vida familiar disfuncional.
- Ser pobre.
- Cuando un empático se siente desequilibrado, las cosas normales que otros pueden tolerar son ataques a nuestros sentidos.Traumas sexuales u otros.
- Algunas personas podrían haber pensado que eras demasiado y te han rechazado; esto hace surgir el sentimiento de vergüenza y culpa y puede llevar a abandonarte a tí mismo.
- Intentas disfrazar u ocultar tu verdadero ser porque crees que si revelas demasiado acerca de tu verdadero yo, podrías volverse desagradable, amenazante o peligroso.

Estas creencias pueden ser profundas y difíciles, pero pueden reescribirse y eliminarse con el tiempo.

El ingrediente principal es la intención. Tenemos que dar un paso a la vez y seguir amando y presente con nosotros mismos. Tenemos que separarnos de la culpa y las emociones de nuestras historias para que podamos sanar y sentirnos seguros. Esto nos hará fuertes y arraigados.

Trabajar los chakras inferiores

Nuestros sentimientos de seguridad se encuentran en el primer chakra o raíz. Este chakra se encuentra en la parte inferior de la columna vertebral. Es tu fundamento. Los problemas que controlan el chakra raíz son nuevos comienzos, límites, seguridad, familia, conexión a tierra, supervivencia, seguridad e instinto.

Tus sentimientos de ser visto y apoyado se encuentran en el Chakra Sacro. Nuestras vidas se ven afectadas por la forma en que se programó esta área de creatividad, niños, estatus social, seguridad financiera y abandono. Tu vergüenza, culpa, control, niveles de confianza y temores pueden controlarte. Este chakra se preocupa por la vida diaria, las personas con quienes nos encontramos y la calidad de nuestras relaciones. También controla lo que poseemos como pasión, relaciones y dinero.

Si no te sientes seguro, puedes:

- Ten miedo de expresarte.
- Quédate aislado y cierra tu corazón a los demás. Esto refuerza el sentimiento de abandono.
- Volverse hostil y tener malas respuestas emocionales.
- Evite hacer cambios positivos o tomar riesgos.

Debido a todo esto, muchos empáticos viven solo desde el cuello hacia arriba. Su tercer ojo y el chakra de la corona generalmente están completamente abiertos. Su chakra de la garganta podría estar congelado. Los chakras de su cuello hacia abajo pueden estar bloqueados para protegerse.

Seguridad del edificio

La mayoría de las veces, no estás al tanto de tus problemas profundos en un nivel consciente. Te llevan en un nivel subconsciente. La mayoría de las personas no se proponen intencionalmente sanar sus chakras. Solo saben que tienen miedo de mantenerse con sus propios talentos y habilidades. Tienes que empujar más allá de cualquier sensibilidad y cambiar quién eres para poder sobrevivir. Al meditar, mejorarás al ver tus emociones reflejas, que vienen con un pensamiento sobre el futuro, las ganancias y el gasto. Poco a poco, te darás cuenta de estos temores y podrás verbalizarlos.

Estar presente con tus respuestas, encontrar los bloqueos y aflojar los nudos que te retienen, formará el núcleo de tu trabajo.

Ser empático significa que eres muy bueno buceando profundamente. Cuando te tomas el tiempo para reflexionar sobre tí mismo, eres 100% honesto contigo mismo. Puedes destapar tus bloques y arreglarlos.

El camino de sanacion

La curación es simple cuando puedes ver que la historia que te mantiene en su lugar es solo una historia. Es una ilusión. No es verdad Es tan profundo como saber que todos tienen la pureza de Dios, Diosa, Universo, Amor o Fuente.

Cuando nos curamos a nosotros mismos, tenemos que descubrir nuestro ser perfecto y completo. Tenemos que limpiar la suciedad, el polvo y la suciedad que se han acumulado en nuestros cuerpos, corazones y mentes. Revelaremos nuestra verdadera naturaleza y nuestro derecho de nacimiento bajo todo esto.

No importa si sabemos cuánto trabajo debemos poner en arreglar nuestros chakras. Lo importante es saber que estamos perfectos y completos ahora mismo. Lo sabemos en nuestro lugar de amor propio.

Mueve tu cuerpo

Lo más fundamental aquí es el ejercicio. Este puede ser un ejercicio de elección como estiramiento, correr, caminar o yoga. Lo principal es simplemente mover tu cuerpo regularmente. Esto es extremadamente necesario para los empáticos y algo que todos resistimos. El ejercicio te ayudará a sentirte mejor dentro de tu propio cuerpo. Te ayuda a estimular tu sistema inmunológico y tu fuerza física.

También puedes trabajar con cristales como rodonita, cornalina y rodocrosita. Estos están asociados con el corazón y los chakras inferiores. Solo mantenlos en tu cuerpo. Puede que no creas que están funcionando en absoluto, simplemente te agotas y empiezas a tener todo tipo de sentimientos y pensamientos.

¿Cómo sabrás que eran cosas que necesitabas liberar? Con el tiempo comenzarás a sentir bajos niveles de miedo y ansiedad que no desaparecerán. Serán lo suficientemente bajos como para que puedas seguir funcionando, pero lo suficientemente presentes como para molestar tus acciones y palabras. Puedes encontrarlo durante tus meditaciones diarias como una pared de ladrillos. Es demasiado alto para superarlo. No podías rodearlo o incluso ignorarlo. La única manera es atravesarlo.

La mejor manera de superarlo fue escribirlo. Es el mejor medio y una parte importante del proceso de curación. Esto saca tus problemas a la luz, ya que no están al acecho en las sombras. Si la escritura no funciona para tí, puedes intentar hacer jardinería, bailar, pintar, lo que sea que lo hagas creativo. Funciona mejor si viene con lágrimas curativas.

Lo importante es que te permitas sentir plenamente tus emociones cuando surjan. Déjalos fluir libremente. No te juzgues a tí mismo. Todo eventualmente pasará.

Sincronicidad

Cuando hayas establecido la intención de sanar un determinado chakra, puedes confiar en que el Universo te dará personas y eventos para explorar sus factores desencadenantes para que puedas sanar tu camino. Si sucede, no lo tomes a valor nominal. Observa estas emociones y las que ocurren alrededor de estos eventos. Cuando puedes verlos, pueden cambiar tus respuestas y hacer cambios dentro de tí.

Restableciendo la seguridad

Si no te sientes seguro en este momento, debes asegurarte de estar en un lugar seguro y mantenerte fuera de peligro.

Recuerda que no puedes desvincularte al 100% de tu orígen, la política y el entrelazamiento de factores económicos, culturales y sociales. Necesitas ser consciente de lo que te afecta. ¿En qué creen tu comunidad, tu familia y tus amigos? ¿En qué valores creen? ¿Compartes esto? ¿Es hora de desconectarte de alguno de estos temores? Para curarte adecuadamente, debes elegir lo que es mejor para tí, incluso si tienes que distanciarte de lo que estás más familiarizado.

Si nacistes y crecistes en un pueblo pequeño, el miedo a perder está grabado en todos. Tendrás que desprogramarte de todas esas creencias, incluso si sientes que no son ciertas. Son necesarios para tu supervivencia.

Todo depende de tus experiencias únicas y de dónde vienes, ya que la sanación de estas áreas se relacionará con tus experiencias diarias. Solo pueden cambiar tu mundo completamente.

Estás seguro

Tú perteneces al universo. Sepa que solo por tu existencia, estás siendo apoyado.

Eres empatico Eres alguien que puede ofrecerte sanar solo por ser uno. Cuando puedes curarte y llevar seguridad y seguridad a tí mismo, estás realizando un maravilloso servicio al mundo.

¿Entonces a qué le tienes miedo? ¿Hay peligros reales que existen en ese miedo? Si estas cosas sucedieran, ¿te afectará? ¿Qué puedes hacer para disminuirlos? Tienes que hacer estas preguntas para asegurarte de que estás actuando desde la verdad y la racionalidad en lugar del miedo cuando las cosas se ponen temibles.

Aceptando y nutriendo tu regalo

Cuando finalmente te das cuenta de que eres un empático, es equivalente a que alguien te quite la venda de los ojos. De repente, las cosas comienzan a tener sentido. Tus interacciones, sentimientos, pensamientos y experiencias con otros pueden entenderse y verse en contra de tu tipo de personalidad.

Te has enfrentado a las etiquetas de toda tu vida. Probablemente te dijeron que estabas preocupado, débil y sensible. Pero ahora tienes una etiqueta que te queda perfectamente. Esa es la mejor sensación del mundo.

Tienes una nueva identidad, un nuevo sentido de sí mismo y crees que puede comenzar a explorar tu funcionamiento externo e interno con más conocimiento y confianza.

Una vez que te das cuenta de que eres un empático, no estás solo. Al instante se ha unido a una colección unificada de otros que comparten su regalo. Estás lleno de saber que perteneces. Esto es algo que no has sentido hasta ahora.

Tu comienzas a buscar en Internet buscando un lugar donde los empáticos irían, como blogs, Facebook, grupos de apoyo y foros. Estás encantado con lo que has encontrado. No hay unos pocos más por ahí. Hay literalmente miles de empáticos por ahí.

Cuando te das cuenta de que eres un empático, tu terminología se expande. Comienzas a decir cosas como vibraciones, blindaje, manchas, conexión a tierra, empatía intuitiva, trabajador de la luz y mucho más. Todo esto se vuelve normal cuando hablas o piensas.

Tu comienzas a aprender más sobre lo que hacen los empáticos en el mundo, a qué desafíos se enfrentan y las oportunidades que se les presentan debido a su capacidad. Mientras investigas tu nuevo rasgo, empiezas a arrojar luz sobre eventos pasados que en un momento dado nunca hubieras podido explicar. Ahora puedes entender si obtienes una buena o mala vibra de una persona sin siquiera hablar con ella. Al igual que por qué no te gusta escuchar malas noticias o lugares concurridos.

Una vez que te hayas dado cuenta de que eres un empático, estás claro por qué todos acuden a tí con sus problemas. Siempre has sido un gran oyente y todos pueden ver eso, incluso si es inconsciente.

Siempre has sido la persona a la que vienen tus amigos por un hombro para llorar. Siempre has sido una carga para tí. Ya no es un misterio. Te das cuenta de que tienes el talento de ver a través de los ojos de otros, caminar en sus zapatos y sentir lo que están sintiendo. Lo que esto significa para tí es que has tomado su desesperación y tristeza dentro de tí mientras los estabas ayudando a manejar esos sentimientos. Sabes por qué te pasan estas cosas ahora.

Cuando te das cuenta de que eres un empático, ahora puedes manejar tus habilidades. El solo hecho de identificarte como uno te permite ir y encontrar ayuda para cualquier problema que estés tratando de resolver. Tu caja de herramientas, que una vez estuvo vacía, comienza a llenarse a medida que obtienes más confianza para abrazar lo que está a tu alrededor.

No tienes que ser tímido y temeroso de los sentimientos abrumadores de sensaciones, lugares y personas. Probablemente nunca te sentirás totalmente relajado cuando estés fuera de tu zona de confort, pero estás dispuesto a salir de él de vez en cuando.

Una vez que te das cuenta de que eres un empático, reconoces el hecho de que esto es lo que eres y lo serás por el resto de tu vida. Podrás cambiar y crecer a medida que pase el tiempo, pero el hecho es que siempre serás un empático. Esto podría ser tanto desalentador como liberador.

Ahora conoces tu verdadera esencia y puedes dejar de intentar encontrar formas de acallar tus tendencias naturales. Comienzas a aceptarte a tí mismo y a mostrar a los demás tu temperamento con tus acciones.

También tienes que lidiar con las luchas que enfrentarás por ser un empático. Estos nunca se irán. Mejorará tu capacidad de afrontamiento, pero habrá momentos en que tu estado de ánimo te llevará a sentirte triste y triste.

Cuando sabes que eres un empático, tu mundo cambiará para siempre. Tienes explicaciones para más cosas y entiendes más quién eres. Puedes ingresar a un nuevo capítulo de tu vida. Has renacido en un nuevo modelo, uno en el que no te sientes perdido. Finalmente has encontrado tu verdadero ser. Comienzas a celebrar una nueva plenitud.

Tus habilidades no son una maldición

Probablemente estés harto de que todos te digan que tus sensibilidades son una debilidad. Tu sensibilidad es lo que te permite experimentar la vida a nuevas profundidades. La sensibilidad te permite escuchar tus sueños y necesidades. La sensibilidad te permite ayudar a los demás. La sensibilidad te permite ver la divinidad de la vida y su belleza.

Si eres un empático sin entrenamiento, tus habilidades te causan dolor constante. Tus emociones están siempre en una montaña rusa y estás constantemente confundido. Tu no tienes que ser

Cuando puedas aprender a rendirte, observar, aceptar y liberar o SOAR, te convertirás en un aspecto más de quién tu eres. SOAR es una palabra simple del diccionario que significa "volar o trascender". Esto significa que puedes aprender a elevarte por encima de tu congestión emocional y oscuridad mientras experimentas tu vida como un empático.

Vamos a aprender a SOAR:

- Rendición: primero necesitas relajar todo tu cuerpo. Inhala profundamente. Rinde cualquier molestia o tensión que sientas y no luches contra ella. Siente todas las emociones dentro de tí. Antes de entregarlos, identifica tus sentimientos como miedo, melancolía, tensión muscular, ira, cansancio, etc.

- Observa: déjate sentir las emociones. No juzgues ¿A qué huelen, prueban, suenan y parecen? Usa todos tus sentidos para crear una imagen real de ellos. La ansiedad dentro de tí puede sentirte como un limo aplastando en tu núcleo. Si tu energía se está juntando, puedes sentirte como un incendio que se desata. Solo recuerda observar esto y no te apegues a ellos. Como dice el viejo refrán: "Esto es más fácil decirlo que hacerlo". Solo deja que la sensación aumente y fluya, al igual que las mareas de un océano.

- Acepte: Mientras observas las sensaciones y emociones dentro de tí, acéptalo. Nunca te resistas a ellos. Dales la bienvenida como visitantes temporales en el templo de tu cuerpo. Se irán pronto. Recuerda que nada quedará para siempre.

- Liberación: Mientras realizas los movimientos de rendición, observación y aceptación, sentirás que estas emociones desaparecen lentamente. Las emociones extremadamente intensas y reprimidas pueden hacer que tus feas cabezas broten. No te preocupes por esto. Realiza todos estos pasos con la frecuencia que necesites para deshacerte de ellos.

Esta técnica debe practicarse como la meditación. Tómate unos minutos cada día y relájate y cálmate. Hay muchas maneras diferentes de hacer esto, como escuchar música, tararear, caminar sobre el césped descalzo, concentrarse en la respiración y visualizar.

Tienes que aprender a calmarte. Encuentra una práctica que funcione para tí. Si no te centras, no vas a tener éxito con la práctica a continuación.

Aquí hay un ejemplo de procedimiento de conexión a tierra:

Puede que te sientas ansioso o enfermo. Hay muchas personas a tu alrededor que están emitiendo una mala vibra, exigiendo, chismeando, riendo y simplemente hablando en voz alta. Necesitas tomarte un descanso. Tienes un descanso por venir. Este es el momento de enfocarte y centrarte.

Tu estás en tu hora de almuerzo. Te sientes cansado y tienes una energía impaciente y enojada dentro de tí. Si es posible, siéntate afuera en el suelo. Toma una respiración profunda dentro y fuera. Siente el suelo debajo de tí. Siente el viento en tu cara. Es más fácil centrarse en la naturaleza.

Quédate quieto y solo respira por diez minutos. Establecer un temporizador si es necesario. Empiezas a sentirte a tierra, pero todavía hay inquietud dentro de tí. Sabes mal y parece una enorme nube de tormenta. Solo míralo. Permite que esté allí. Es posible que lo sientas en tus hombros, cuello y estómago. Sólo deja que sea. Míralo. Mantente en contacto con la naturaleza. Míralo y acéptalo. Está ahí. No luches contra eso.

Permitir más tiempo para pasar. Ahora cambia tu atención a tus sentimientos y experimenta conscientemente las emociones. Estar presente con estos sentimientos incómodos. Siente cómo empiezas a deslizarte. Siente cómo abandonas tu cuerpo cuando te encuentras con tu conciencia. Siente que se desvanece.

Regresa al momento presente y sepa que tus malos sentimientos se han escabullido.

Vas a tener que experimentar con el procedimiento anterior. Tienes que hacer que funcione para tí. El propósito de este procedimiento es ayudarte a desarrollar la atención plena, sin sentir resistencia ni apego. No puedes ser rígido al seguir el procedimiento. Solo deja que fluya naturalmente. Si una emoción se encuentra con el no apego y la aceptación, desaparecerá. Los empáticos sufren debido a que son criaturas que se unen inconscientemente a todo lo que les rodea.

Cómo mantenerse equilibrado emocionalmente

Ser un empático es un desafío. También te da a tí y a las personas a tu alrededor beneficios. Para obtener estos beneficios, debes comprender cómo hacer que funcione para tí, de modo que no seas víctima de los procesos y emociones de los demás.

- Ponte primero

Esta idea va en contra de cualquiera que sea un empático. Cuando se asegura de que se satisfacen sus necesidades, puedes cuidar mejor a los demás. Tu empatía funcionará si no estás totalmente agotado.

Tienes que asegurarte de estar lleno todo el tiempo. Si no es así, es posible que te hayas llenado con las necesidades de los demás. Encuentra prácticas que te permitan ser una mejor versión de tí:

- Conviértete en un amigo por correspondencia.
- Dormir lo suficiente.
- Hacer la cena para alguien que amas.
- Ejercicio: Haz lo que quieras, solo presiona.

- Despierta tu creatividad tomando una clase de arte.
- Meditar.
- Aprender yoga.

Establecer límites

Solo puedes tener tantos sentimientos y pensamientos dentro de tu corazón y cabeza. Tienes que limitar lo que viene de los demás. Acepta el hecho de que solo eres humano y no puedes ser todo para todos.

Si alguien necesita hablar contigo sobre su pérdida, despido o divorcio, dale un límite de tiempo. No lo estás haciendo por falta de amor, lo estás haciendo para poder darles el apoyo que necesitan de la mejor manera que sepas. Si está agotado física o emocionalmente, cerrará y no podrá darles ninguna empatía.

Sea consciente de la cantidad de información que ingresa. Hay mucha felicidad en el mundo. También hay mucha injusticia y tristeza. Mantente alejado de montar una montaña rusa de emociones. Limite la cantidad de tiempo que estás en los sitios de noticias y redes sociales. Al ser un empático, quedarás atrapado en las historias de otros y te olvidarás de cuidar tus propias emociones. Harás esto incluso si no conoces bien a esta persona.

Déjalo ir

Es genial cuando podemos celebrar con los demás. Al ser un empático, sientes lo que ellos sienten y puedes experimentar las alegrías de un nuevo bebé, promociones y bodas. También puedes hacer que te sientas desesperanzado cuando compartes la tristeza de alguien cuando pierdes a un ser querido, te diagnostican una enfermedad horrible o rompes con alguien.

Esto es cuando tienes que aprender a practicar la separación. El hecho es que no perdiste a nadie, no rompiste con nadie y no estás luchando contra esa horrible enfermedad. Cuando estás cerca de tus amigos, puedes aceptarlos haciéndoles saber que son amados. Comprende que no tienes que mantener tu situación o abrazarla.

Siéntelo y luego sigue adelante. Averigua qué funciona para liberar estas emociones. Encuentra a alguien que te ayude a deshacerte de esta basura emocional. Debido a que no están cerca de la situación, no van a aferrarse a ella y te ayudarán a dejarla.

Usted tiene suficiente dolor para lidiar con; no necesitas de nadie mas

Procesa tus emociones

La mayoría de los empáticos pueden simpatizar con los demás, pero a menudo descuidan sus propias necesidades. Cuando adquieren las alegrías y las angustias de los demás, adormecen sus propias necesidades internas. Deja de hacer esto y comienza a procesar tus emociones con otras personas.

Se supone que nadie es una ísla. El hecho de que los demás te traigan sus pensamientos y sentimientos, no significa que tengas que confiar únicamente en tí mismo para obtener apoyo. Todo el mundo necesita personas que los guíen y apoyen.

Puedes procesar emociones de manera informal y formal. La clave es practicar esto regularmente:

- Escribir en un diario todos los días.
- Habla con un líder espiritual.
- Encuentra un entrenador de vida.
- Ir al asesoramiento grupal.
- Encuentra un terapeuta capacitado para hablar.
- Procesa tus emociones diariamente con un compañero antes de irte a dormir.
- Almuerza una vez a la semana con tu mejor amigo.

Celebrar

Como empatizas a menudo, sabes cómo se siente experimentar dolor y alegría. La mayoría de las veces, el dolor es lo que te gusta pegarte a tí y te pesa. Cuando te sientes triste y herido, tienes que aprender a ser emocionalmente equilibrado. Llevar el dolor del otro no es útil.

Al igual que creas ritmos cuidando tu alma, cuerpo y mente haciendo cosas diferentes, también necesitas implementar celebraciones. No importa lo que esté sucediendo en tu vida, hay un momento para celebrar. Intentar:

- Pasa más tiempo con tus hijos.
- Saque a un compañero de trabajo para obtener una promoción.
- Compre a su pareja un regalo por solo ser ellos.
- Sal a una cita contigo mismo solo porque.
- Haz una fiesta porque perdiste esas últimas libras.

La empatía es una herramienta que permite que otros se sientan comprendidos y conectados. No te agotes. Tu vida necesita ser equilibrada para que no empieces a ofrecer resentimiento. Deja que los demás empoderen, pero cuidate también.

Maneras de prevenir el drenaje emocional

Estar constantemente en sintonía con las emociones de otros puede ser abrumador. Los empáticos traen amor y luz a través de su comprensión y naturaleza compasiva. Sentir las emociones de otras personas tiene su inconveniente. Estas emociones negativas pueden agotarte.

Otros pueden aprovecharse de tu naturaleza. Para prosperar, debes proteger tu energía y cuidar de tí mismo. Esta es la única manera en que puedes cuidar a los demás.

Aquí hay seis formas de aumentar tus poderes sin que otros se agoten:

1. Encontrar el tiempo a solas

En este mundo de negatividad, drama y estrés, los empáticos deben tomarse un tiempo a solas para procesar y pensar sus emociones. Sin este tiempo, puedes sentirte abrumado por las necesidades de los demás.

Haz que sea una prioridad encontrar tiempo solo y usarlo para hacer lo que sea necesario para mantenerte saludable y equilibrado. Podrías encontrar que escribir en un diario, realizar una caminata por la naturaleza, visualizar, hacer un viaje chamánico o la meditación puede ayudarte a superar tus emociones y pensamientos.

2. Crea un espacio para restaurar energías

Este espacio te ayudará a recuperarte. Este espacio debe ser pacífico y tranquilo y donde no haya distracciones del mundo exterior. A algunas personas les gusta crear un espacio en la naturaleza o una habitación especial en su casa.

Incluso puedes encerrarte en tu baño para pasar un rato tranquilo todos los días. Haga su espacio hermoso con plantas, obras de arte o velas. Básicamente lo que te ponga en calma. estado. Tu espacio no puede ser desordenado o desordenado. Debe ser claro para tranquilizar tu mente.

También puedes usar aceites esenciales o incienso para traer calma a tu espacio. A algunos les gusta usar música relajante para ayudar a restaurarse a sí mismos.

3. Protección de energías negativas

Necesitas protegerte de muchas influencias negativas siempre que sea posible. Limita el tiempo que pasas con personas tóxicas, críticas o negativas. Encuentra el tiempo para restaurar después de haber pasado tiempo con ellos. Mantente alejado de los medios negativos y concéntrate en historias positivas y buenas noticias.

Llena tu mundo con mensajes inspiradores y deja de ser arrastrado a la negatividad de otras personas. Visualiza una bola de luz dorada rodeándote cuando estés sometido a emociones y energías negativas. Esto te protegerá y permitirá que la negatividad rebote en tí en lugar de que sea absorbida.

4. Deshacerse de las energías negativas

No importa cuánto te protejas, vas a captar emociones negativas de las personas que te rodean. Podrías quedarte atrapado en tus propios malos patrones de pensamientos. Los empáticos nunca son positivos y optimistas todo el tiempo. El dolor del mundo puede llevar a estas almas sensibles a la tristeza y la depresión.

Estas emociones no tienen que ser consideradas como negativas. La tristeza y la pena son normales en el mundo. Si negamos estos sentimientos, no los harás desaparecer. Debes tratar de sentir estas emociones completamente y dejarlas ir. Puedes bailar, hacer ejercicio y escribir en un diario para procesar la negatividad.

5. Usa tu habilidad para ayudar al mundo

Los empáticos saben que los problemas nunca se resuelven con el rechazo o el odio. En cambio, se resuelven con comprensión y amor. Usa tu energía de buenas maneras para ayudar al mundo. Podrían ser pequeñas acciones como recoger un pedazo de basura o donar tu tiempo en un banco de alimentos. Hacer algo bueno en el mundo debido a tu naturaleza empática te ayuda a mantenerte positivo acerca de ser un empático en lugar de ser una carga.

6. Perseguir tus sueños

Los empáticos descuidarán sus sueños porque son sensibles a las necesidades de los demás. Tienes que recordar que eres un ser único. Fuistes puesto en esta tierra con un propósito. Nunca permitas que otros tomen tu energía hasta que no te quede nada para tus sueños.

Tómate el tiempo para seguir tus deseos y hacerlos sagrados. Si no tomas la decisión sobre cómo gastar la energía de tu vida, otras personas la gastarán en sus sueños en lugar de en los tuyos. Vas a extrañar tu propósito.

La empatía es un regalo. Ser sensible y debes manejarte para asegurarte de que tengas la energía para prosperar. Tomarte el tiempo para sostenerte no es ser egoísta. Es necesario si vas a usar tu don para ayudar al mundo.

Conclusión

Gracias por llegar hasta el final de Empatía, esperamos que haya sido informativo y capaz de proporcionarte todas las herramientas que necesitas para alcanzar tus objetivos, sean cuales sean.

El siguiente paso es utilizar la información que aprendistes en este libro para mejorar tu vida como empático. La empatía es un gran regalo para tener. El mundo necesita una mayor comprensión de los empáticos, y si usas la información de este libro, podría serlo. Aprecia tu regalo. Quiérete. Y créelo. Al final, valdrá la pena.

Finalmente, si encuentras que este libro es útil de alguna manera, ¡siempre se agradece una revisión en Amazon!.